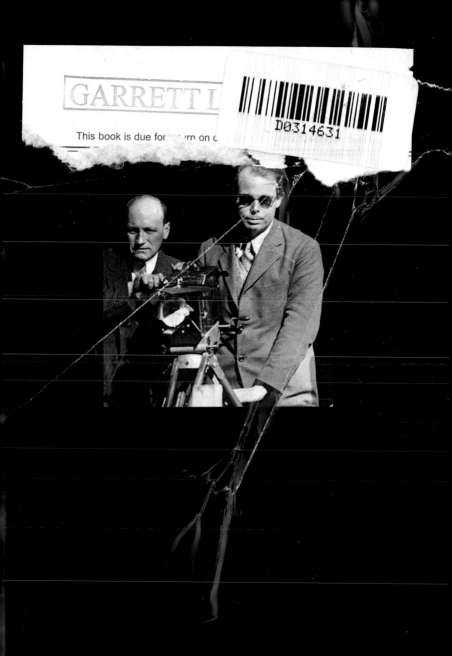

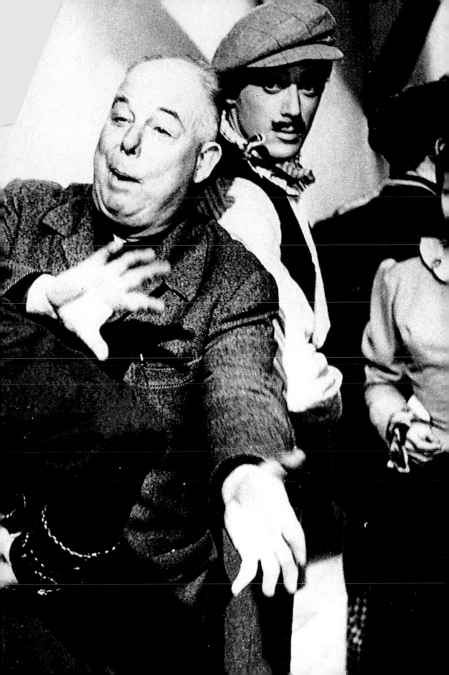

SOMMAIRE

JEAN RENOIR
CINÉASTE

Célia Bertin

DÉCOUVERTES GALLIMARD
ARTS

«Je n'ai mis les pieds dans le cinéma que dans l'espoir de faire de ma femme une vedette. Je comptais bien, une fois ce but atteint, retourner à mon atelier de céramique. Je ne me doutais guère qu'une fois le doigt dans l'engrenage, il me serait impossible de me dégager. Si on m'avait dit alors que je consacrerais tout mon argent et toute mon énergie à faire des films, on m'aurait bien épaté.»

Jean Renoir,
Ma vie et mes films

Gabrielle et Jean, d'Auguste Renoir : Gabrielle Renard, la nounou, l'amie, joue avec le fils du peintre. En 1929, tournant *Le Bled* (à droite) en Algérie, Jean se souviendra que son père disait y avoir découvert le blanc : «Tout est blanc, les burnous, les murs, les minarets, la route. Là-dessus le vert des orangers et le gris des figuiers…»

CHAPITRE 1

SE FAIRE UN PRÉNOM

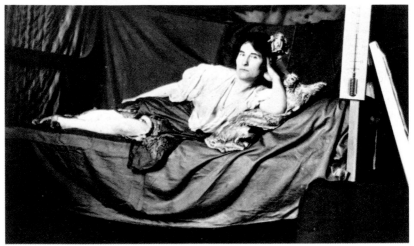

Montmartre fin de siècle

Jean, le deuxième enfant d'Aline et Pierre-Auguste Renoir, naît le 15 septembre 1894. Le bébé manifeste une grande vigueur de tempérament et Mᵐᵉ Renoir est contente de pouvoir s'en remettre à une jeune fille de quinze ans, Gabrielle Renard, une cousine qu'elle a engagée pour s'occuper de lui. Pierre, l'aîné, a déjà neuf ans et n'exige aucune attention spéciale. L'univers de Renoir-le-peintre, le père, est un univers peuplé de femmes, où Jean trouvera les deux types qui le séduiront toujours : la «sauvageonne» et la «belle étrangère». Gabrielle et les modèles-servantes qui entourent l'image maternelle façonnent celle de la «sauvageonne». Les actrices célèbres ou les femmes du monde dont Renoir fait le portrait s'apparentent au mythe de la «belle étrangère»; de Catherine Hessling à Catherine Rouvel,

«Il faut se laisser aller dans la vie comme un bouchon dans le courant d'un ruisseau.» Jean Renoir fera sienne cette maxime que lui a apprise son père, le peintre Pierre-Auguste (ci-dessous).

de Winna Winfried à Ingrid Bergman, on les
retrouvera de film en film.

Gabrielle emmène le petit Jean partout. Tous
deux s'amusent du spectacle de la vie quotidienne
à Montmartre; ils s'attablent à une terrasse avec
Toulouse-Lautrec, bavardent avec les voisins, vont
ensemble «aux commissions». Jean n'a que deux ans
quand ils assistent à une séance de cinéma que
Dufayel, grand marchand de meubles, offre à ses
clients. Dès que l'obscurité envahit la salle, Jean a
peur et il hurle si fort qu'ils doivent s'enfuir. Il a trois
ans quand la famille quitte le Château des Brouillards
à Montmartre. Les Renoir changeront plusieurs fois
de domicile – à Montmartre toujours –, car
bientôt le père ne peut plus monter un escalier.

Paris, Cagnes-sur-mer, Essoyes

L'été se passe à Essoyes, aux confins de
la Bourgogne et de la Champagne, le
village natal d'Aline Renoir et de

À la naissance de
Jean, les Renoir
habitent le Château des
Brouillards, un coin de
campagne en plein
Paris, au cœur de
Montmartre, que
l'enfant arpentera avec
sa nounou Gabrielle (à
gauche). Ci-dessous,
l'entrée du *Lapin agile*.

Gabrielle. Jean y retrouve d'autres enfants. Aline Renoir emmène tout ce petit monde pêcher tandis que son époux travaille dans l'atelier aménagé au fond du jardin de la maison de vigneron qu'ils ont achetée et agrandie pour y loger modèles et amis de passage. C'est là que Jean fait la connaissance d'un braconnier, un gamin de son âge qui sait attraper les brochets et voler des poules : Jean est fasciné et le demeurera toujours. La figure du braconnier réapparaîtra dans sa vie comme dans ses films. Ainsi, les personnages, les faits du monde réel, se mêlent aux histoires qu'il invente et les mêmes schémas se reproduiront.

Pierre-Auguste Renoir avait rencontré sa future femme, Aline, jeune cousette, en 1880, dans une crèmerie de la rue Saint-Georges située en face de l'atelier du peintre, où tous les deux venaient prendre leurs repas. D'Aline, Degas dira : «Elle a l'air d'une reine visitant des saltimbanques.» Ci-contre, Aline est peinte par son mari vers 1885, après la naissance de leur fils aîné Pierre, comme la jeune fille de la campagne qu'elle était. Le peintre conservera ce portrait jusqu'à sa mort.

En 1915, Auguste Renoir peint les Collettes (ci-contre et photographie en bas à gauche), la propriété qu'il a achetée dans le Midi alors que la maladie le paralyse de plus en plus. Séduit par la clémence du climat et l'éclat de la campagne provençale, il y fait construire un atelier et ce qui deviendra sa résidence principale jusqu'à la fin de ses jours. Amis et modèles viennent y séjourner. Ci-dessous, Jean Renoir et son petit frère Coco en 1902.

A cause des pénibles douleurs rhumatismales dont souffre le peintre, les Renoir décident de louer des maisons dans le Midi pour fuir la grisaille des hivers parisiens. Grasse, Magagnosc puis, en 1907, Cagnes où ils achètent la ferme des Collettes dont les superbes oliviers sont peints par Pierre-Auguste et seront filmés par Jean dans *Le Déjeuner sur l'herbe*. Renoir a toujours aimé peindre à la campagne ; son fils conserve ce goût de la terre, de l'eau, du ciel. Il perçoit la beauté d'un champ de blé, des coquelicots ou celle des fragiles roses de mai cultivées à Cagnes. Par son père, Jean apprend aussi à reconnaître les différences, parfois subtiles, entre les régions, à distinguer les manières de s'exprimer, les accents, les gestes des habitants des diverses provinces, comme les nuances entre les classes de la société.

De l'école buissonnière à l'armée

En août 1901 naît un petit Claude, dit Coco. Jean, qui n'avait encore jamais fréquenté l'école, est envoyé dans un pensionnat religieux huppé, choisi par Pierre-Auguste Renoir non pour la qualité des études mais pour l'étendue du parc qui l'entoure. Là, le dimanche après-midi, les bons pères organisent une séance de cinématographe pour distraire leurs élèves. Ainsi, à neuf ans, Jean découvre *Les Aventures d'Automaboul*. Le feuilleton lui donne le goût des voitures qu'il conservera toute sa vie. La salle obscure, le faisceau lumineux, les projections sur la toile argentée l'attirent irrésistiblement. Le cinéma mis à part, l'école le déçoit et Jean s'en échappe souvent, ce qui rend sa mère furieuse mais fait rire son père. Il finira pourtant par passer son «bachot», grâce à Gabrielle qui s'instruit en le faisant inlassablement répéter.

Après son baccalauréat, Jean ne sait pas quoi faire. Son frère Pierre est devenu acteur, comme il le souhaitait. Pourquoi ne pas entrer dans l'armée ? Jean n'imagine rien d'autre – c'est encore un reste de son

66 Et tandis qu'à travers les rues désertes d'un Paris en proie aux démences belliqueuses nous quêtions le droit aux aventures ténébreuses de l'amour, sous un ciel déchiré par les projecteurs et les éclatements d'obus, savions-nous que, notre désir de fuite et d'évasion, nous le retrouverions à la suite de Pearl White [ci-dessous], dans les randonnées automobiles des *Mystères de New York* et les luttes factices entre une police de pacotille et des bandits mirobolants ? 99

Robert Desnos, *Les Rayons et les Ombres*

enfance : il chérissait les soldats de plomb. Il sera cavalier, comme le fut son père pendant la guerre de 1870. Il n'a pas prévu qu'il devrait se plier à la discipline militaire, ce dont il est incapable. Bientôt la guerre éclate et les états d'âme ne sont plus de mise. Après un hiver passé dans le froid et la boue des tranchées, en avril 1915, Jean est grièvement blessé à la jambe – il boitera jusqu'à la fin de ses jours. Sa mère va le voir à l'hôpital mais, rentrée à Cagnes, épuisée par le diabète et les émotions de ce voyage, elle meurt deux mois plus tard.

« Les combattants de la Grande Guerre étaient de parfaits anarchistes. Ils se fichaient de tout. Ils ne croyaient plus aux grandes idées. [...] La guerre pour la liberté, ils n'y croyaient pas. Ils se fichaient même de la mort, pensant que cette vie ne valait pas la peine d'être vécue. [...] Le plus curieux est que, malgré ce scepticisme complet, ils se battaient magnifiquement », se souvient Renoir, ancien combattant (ci-dessous en 1916 ; ci-contre, avec Dédée, sa future épouse.

Convalescent, Jean rejoint à Paris son père qui est très affecté par la perte de sa compagne. Jean n'est plus le jeune privilégié qui ne connaît la souffrance que par ouï-dire, il en a fait l'apprentissage avec ses frères d'armes, ce qu'il exprimera dans *La Grande Illusion*. Père et fils se retrouvent handicapés l'un et l'autre. Le moment est venu pour eux de se parler. C'est durant cette période que Jean amasse le matériau qu'il utilisera bien plus tard dans son livre *Renoir, mon père*, portrait chaleureux du peintre, qui révèle autant le fils.

Quand il n'est pas retenu par les besognes dont il s'est chargé auprès du peintre, Jean va au cinéma. Il découvre Charlot et les films américains – il trouve les films français trop «intellectuels». Avec l'aide de Coco, il installe un appareil de projection et un écran chez son père malade pour le faire participer aux joies du cinématographe. Mais la guerre continue. Malgré sa jambe blessée, il s'engage de nouveau, dans l'aviation. Il ne supporte pas les «embusqués» et l'état d'esprit de l'arrière. L'appareil qu'il pilote est abattu, Jean est blessé une seconde fois. Il rejoint alors de nouveau son père à Paris, puis le suit à Cagnes. A la fin de la guerre, il démissionne de l'armée.

L'amour fou

A Cagnes, où Pierre-Auguste s'est installé, est venue les rejoindre une superbe rousse, Andrée Heuschling,

«Un homme comme Chaplin n'a jamais sacrifié au réalisme extérieur : Chaplin joue un chercheur d'or, mais il est habillé avec un petit melon, de grandes chaussures et une canne [...]. Néanmoins M. Chaplin, avec son petit chapeau melon, me semble beaucoup plus vrai que quantités de cabots [...]. [Il] a l'air d'un véritable chercheur d'or. Personnellement, j'ai

fait beaucoup de films du genre "réalisme extérieur". J'ai essayé humblement – peut-être sans y réussir toujours – d'y adjoindre le réalisme intérieur. Je dois vous dire qu'au fond ce réalisme extérieur a toujours été, pour moi, un moyen d'essayer de parvenir au réalisme intérieur.» Ainsi Renoir évoque-t-il sa «dette» à l'égard du génial comique britannique (ci-dessus, Chaplin tournant *La Ruée vers l'or* en 1925).

dite Dédée. Réfugiée alsacienne, née avec le siècle, elle cherchait du travail et Matisse, trouvant qu'elle était «un vrai Renoir», l'a envoyée aux Collettes. Dédée s'intègre rapidement et ramène la gaieté dans la maison. Très vite, Jean s'éprend d'elle ; il l'épouse le 24 janvier 1920, quelques semaines après la mort de son père qui les laisse, l'un et l'autre, dévastés. Et riches. Ce qui perturbera Dédée qui n'a jamais rien possédé.

Renoir a fait installer un four de céramiste pour eux et pour Coco. Jean possède un certain talent dans ce domaine mais il l'ignore et redoute surtout que son nom seul pousse les amateurs à acheter ses pièces. Le personnage d'Octave, dans *La Règle du jeu*, reflètera cette image qu'il a de lui-même, et qu'il aura longtemps : la crainte d'être un «raté».

Jean n'oublie pas non plus que son père a glorifié la beauté de Dédée sur ses toiles. La jeune femme se sait belle et, partageant son enthousiasme pour le cinéma américain, elle se compare tout naturellement aux vedettes des films dont ils vont se gaver à Nice, puis à Paris : Mary Pickford, Theda Bara ou Lilian Gish. Bientôt Jean désire autant qu'elle la voir devenir star.

En 1918, Andrée Heuschling pose pour le peintre Renoir (à gauche). Inspirée par Mary Pickford (ci-dessous) et Theda Bara (ci-dessus), elle deviendra Catherine Hessling.

"Si je fais du cinéma, c'est en grande partie à Stroheim que je le dois. C'est une responsabilité qu'il partage avec Charlie Chaplin et D. W. Griffith [à gauche]. [...] Le premier film que j'ai vu de lui était *Folies de femmes* [ci-contre] [...]. Le plus important de ses enseignements est peut-être que la réalité ne prend de valeur que soumise à une transposition. Autrement dit, n'est artiste que celui qui parvient à créer son petit monde.**"**

Jean Renoir,
Le Passé vivant

Pierre Renoir, grièvement blessé pendant la guerre, a réussi à reprendre avec succès sa place au théâtre. Il introduit Jean dans ce milieu et lui fait comprendre l'importance du rôle du metteur en scène, aussi bien au cinéma qu'au théâtre, où Pierre va devenir le fidèle compagnon de Louis Jouvet.

Installés à Marlotte, près de Fontainebleau, Jean et Dédée vont voir et revoir à Paris les films qui les enchantent. Jean les étudie, se les remémore plan par plan, en discute avec Dédée. Il évoquera ainsi les gros plans de D. W. Griffith qui sont pour lui «l'enchantement des enchantements» ou *Folies de femmes*, d'Erich von Stroheim, qui l'a autant «stupéfié» la dixième fois que la première. Le seul cinéma qu'ils aiment ne peut se faire qu'à Hollywood, ils en sont persuadés.

D.W.G.

Pourtant, en 1923, Dédée et Jean découvrent *Le Brasier ardent*, joué et mis en scène par Ivan Mosjoukine, acteur russe réfugié en France et qui tourne à Montreuil-sur-Seine grâce à un autre Russe, Alexandre Kamenka et sa Société des films Albatros. S'il est possible de tourner en France des films comme celui-là, pourquoi ne pas tenter leur chance ? C'est ainsi que Jean se lance derrière la caméra pour révéler le talent et la beauté de Dédée, comme la peinture de son père révélait en la transcendant la beauté des femmes.

Premiers pas

Il ne sera que scénariste et producteur de *Catherine ou une vie sans joie* (1924), réalisé par Albert Dieudonné. Dédée, devenue Catherine Hessling, y tient son premier rôle. Jean a écrit le scénario avec Pierre Lestringuez, l'un de ses compagnons d'enfance – il gardera l'habitude de travailler entouré d'amis. L'argument, mélodramatique, est aussi simple que celui du cinéma américain primitif : à cause de sa jeunesse et de sa beauté, Catherine est cruellement tourmentée par la jalousie des femmes riches et la convoitise des hommes.

Fasciné par la mise en scène d'Ivan Mosjoukine (ci-contre), Renoir aborde le cinéma en scénariste et producteur de *Catherine ou une vie sans joie* (ci-dessous, Catherine Hessling, à gauche, et Albert Dieudonné). On y reconnaît la patte de Renoir-réalisateur dans l'usage de techniques d'avant-garde, un montage parfois très rapide et la poursuite automobile finale entre Grasse et Nice.

Réalisé en 1924, le film ne sera distribué qu'en 1927. Jean Renoir et Albert Dieudonné ne sont pas devenus amis. Loin de là : l'acteur-metteur en scène avait reproché au scénariste-producteur d'être intervenu sur le plateau et l'a assigné en justice.

Après cette fausse manœuvre, Jean, encouragé par la confiance que lui témoignent ses amis, décide de faire du cinéma comme il l'entend. Parce qu'il ne cherche pas les effets ni l'originalité à tout prix, il croit suivre un chemin classique. Pourtant les audaces techniques de cet artiste nourri de contes de fées et de la littérature qui plaisait à son père effraient la plupart de ses contemporains, cinéastes aussi bien que producteurs.

Son premier film en tant que réalisateur, *La Fille de l'eau* (1924), est un hymne à la beauté de Catherine, métamorphosée en héroïne fantastique. La séquence où, vêtue de blanc et montée sur un cheval blanc, elle galope parmi les nuages puis tombe à travers le ciel est retenue par Jean Tedesco, un acteur qui a transformé

La Fille de l'eau fut tournée, pour les extérieurs, dans la forêt de Fontainebleau, au bord du Loing et dans la propriété d'amis de longue date (enfants, ils passaient l'été ensemble à Essoyes), le fils de Cézanne et sa femme. A gauche, sur l'un de ces grands hêtres abattus qu'il comparait à des mâts de navires naufragés, Renoir est assis aux côtés de l'auteur du scénario, Pierre Lestringuez (à droite), et du cameraman Jean Bachelet (au centre). Il aura fallu toute l'ingéniosité des trois amis pour réaliser la séquence onirique du film, qui voit Catherine Hessling sur son cheval blanc (ci-dessus). Dans les studios de la Gaumont, aux Buttes-Chaumont, on construisit un cylindre en toile d'une vingtaine de mètres de diamètre, dont l'intérieur fut peint en noir, comme le plancher. Dans un premier temps, on filma Catherine, vêtue de blanc, galopant sur un cheval blanc devant le fond noir. La caméra, installée dans l'axe du cylindre sur une plate-forme pivotante, suivait la galopade en un panoramique parfait. Sur la même pellicule, pas encore développée, il ne restait plus qu'à photographier un fond de nuages.

le théâtre du Vieux-Colombier en salle de cinéma d'avant-garde. Tedesco présente cette scène dans l'un de ses spectacles, obtenant un grand succès auprès de son public éclairé. Le film est un fiasco commercial qui renvoie temporairement Renoir à la céramique. Il gardera un excellent souvenir du tournage – qu'il appellera toujours la «tournaison».

De Zola à Andersen

Remis en confiance par le succès chez Tedesco, Jean décide de se lancer dans une entreprise majeure, l'adaptation d'un des romans les plus célèbres d'Emile Zola, *Nana* (1926). Sa version de l'œuvre ne coïncide pas avec l'idée que le public se fait de la petite théâtreuse devenue courtisane de haute volée, qui fait le malheur de ses riches

amants avant de finir victime de son narcissisme et de ses antécédents. Jean prend des libertés importantes avec le roman, supprimant des personnages afin de ramasser l'action. Ce qu'il fera souvent, sans trahir l'écrivain dont il s'inspire. Il est cosignataire de l'adaptation avec Pierre Lestringuez qui lui a présenté un ami, Pierre Braunberger, lequel se destine au métier de producteur.

Jean, producteur et réalisateur de *Nana*, travaille avec deux nouveaux cameramen, Alphonse Giborit et Charles Ralleigh. Les mouvements de caméra et les cadrages, le montage en plans systématiquement moins courts que dans *La Fille de l'eau*, la présence de Werner Krauss, vedette du *Cabinet du docteur Caligari*, l'influence de Stroheim, la prestation de Catherine Hessling, tout contribue à faire du film un opus grinçant. Aujourd'hui, on peut le lire comme la bande-annonce de l'œuvre à venir. A sa sortie, il déconcerte. Renoir commence à être en avance sur son temps.

Hommage du fils au père, une scène de repas de *Nana* (à droite) évoque *Le Déjeuner des canotiers* de Pierre-Auguste Renoir (à gauche). *Nana* est le premier film français tourné dans les studios de Berlin depuis la guerre ; les décors et les costumes, de Claude Autant-Lara (croquis en bas à droite), ont également été réalisés dans la capitale allemande. Premier film «qui vaille la peine qu'on en parle», selon son réalisateur, *Nana* étonne par ses audaces techniques autant que par l'interprétation de Catherine Hessling.

•• *Nana* a été le premier film dans lequel j'ai découvert qu'on ne copie pas la nature, mais qu'il faut la reconstituer, que tout film, que tout travail à prétention artistique doit être une création, une création bonne ou mauvaise. J'ai découvert, enfin, qu'il valait mieux inventer, créer quelque chose de mauvais que de se contenter de copier la nature, si brillamment qu'on le fasse. [...] Par nature, je n'entends pas seulement les arbres ou les routes. J'entends les êtres humains et j'entends tout. J'entends le monde. ••

Jean Renoir,
Ma vie et mes films

C'est un désastre financier. Il faut vendre des tableaux. Et Jean ne supporte pas d'être traité d'amateur par les gens de la profession. Pourtant il persiste, sans chercher à se faire accepter par le milieu. Jean s'estime un homme du XIXe siècle. Comme il rejette les films français de son temps, il rejette la littérature et l'art contemporains. Seul le jazz, découvert avec son jeune ami Jacques Becker, le séduit.

Cette même année 1926, Jean offre à Catherine un partenaire noir, Johnny Huggins, membre de la troupe de Joséphine Baker qui triomphe dans *La Revue nègre*.

Plus mime que comédienne, s'inspirant de Chaplin, Catherine Hessling-Nana pousse la stylisation à l'extrême. «Ce n'était plus une femme mais une marionnette», dira Renoir – pour lui, c'est . un compliment. Mais le public n'a pas aimé. «Les gens veulent pouvoir dire [...] : Comme c'est vrai...» Pierre Champagne (à gauche), l'ami qui joue dans tous ses films, tient ici le rôle de La Faloise.

Il tourne *Charleston*, pas-de-deux dont l'argument est dû à un ami, André Cerf, le groom de *Nana* : une «sauvagesse» ayant survécu au cataclysme qui a détruit notre planète est découverte par un anthropologue venu d'ailleurs, en ballon, jusque sur la terre anéantie. Après trois jours de tournage, Huggins disparaît et l'œuvre ne sera jamais achevée. Sorti tel quel au printemps 1927, le film est très mal accueilli ; son érotisme choque.

Après *Nana*, Renoir décide de se faire plaisir : il utilise la pellicule restante pour réaliser une pochade, hommage au jazz américain, *Charleston*. Seules vingt et une minutes du film sont aujourd'hui visibles et la bande musicale a disparu ; François Truffaut rapporte que Clément Doucet avait pourtant composé une «musique admirable». Le film parvient à saisir le rythme et la forme de cette danse qui fit rage dans les années vingt. Ci-contre, Catherine Hessling dans le film.

De *La Petite Marchande d'allumettes* (ci-dessous) émane une atmosphère d'étrangeté, d'irréalité, de féerie. Catherine, en petite fille perdue entre le rêve et la réalité, y joue son dernier rôle pour Renoir.

Pour son quatrième film, *La Petite Marchande d'allumettes* (1928), d'après le conte d'Andersen, Jean Renoir s'associe avec Jean Tedesco et tourne dans les greniers du Vieux-Colombier, afin de rester en dehors des studios commerciaux. C'est l'univers de l'enfance retrouvé : la voix de Gabrielle lui lisant un conte, les jouets, les soldats de plomb, les animaux. La «tournaison» est une vraie partie de plaisir. Renoir, Tedesco et leurs amis fabriquent les décors, jouent avec la prise de vues, utilisant jusqu'à cinq caméras. Renoir invente et construit un chariot sur coussins pour la caméra. Il manifeste avec beaucoup d'enthousiasme son goût de l'expérimentation.

La Petite Marchande d'allumettes devra attendre deux ans sa sortie en salle : Rosemonde Gérard et son fils Maurice Rostand, qui ont adapté le conte pour l'opéra-comique, prétendent en effet que Renoir s'est inspiré de leur adaptation et ont intenté un procès. Leur demande ne sera déboutée qu'après la naissance du cinéma parlant. Pour mettre le film au goût du jour, le distributeur exige un accompagnement musical, des coupures et des intertitres. Jean réprouve ces changements. «N'est artiste que celui qui parvient à créer son petit monde», écrira-t-il plus tard à propos d'Erich von Stroheim.

Exercices de style sur commande

Pour combler les pertes de *Nana*, Jean s'efforce de trouver des occasions de faire des films sur commande. Marie-Louise Iribe, l'épouse de son frère Pierre, a créé une société, trouvé des fonds et un distributeur, pour un film d'après un scénario de

En 1929, Renoir tient le rôle du loup (ci-dessous), un gredin qui convoite la belle Catherine, dans une adaptation fantaisiste du *Petit Chaperon rouge* réalisée par son ami le cinéaste brésilien Alberto Cavalcanti.

Pierre Lestringuez dont elle entend être la vedette, *Marquitta* : une chanteuse des rues devient célèbre et sauve le prince charmant à qui elle doit sa carrière lorsqu'il est chassé de son pays par la révolution. De cette histoire simplette qui remporte le succès commercial prévu, il ne reste aujourd'hui aucune trace. Jean réalise d'autres films de commande, dont *Le Tournoi dans la cité* (1929) pour le bimillénaire de Carcassonne, *Le Bled* (1929), destiné à célébrer le centenaire du débarquement des Français en Algérie, ou *Tire-au-flanc* (1928), un «vaudeville muet»

dans lequel il «dirige» pour la première fois Michel Simon. En le forçant à résoudre des problèmes techniques, à se plier à des règles, ces films permettent à Jean d'approfondir sa connaissance du métier.

En 1929, Jean se rend à Berlin avec Pierre Braunberger ;

Reconstitution historique minutieuse, *Le Tournoi dans la cité* jouit des moyens importants mis à la disposition du réalisateur : décors signés par l'architecte Mallet-Stevens, et chevaux de spahis et du Cadre noir de Saumur. Autre commande réalisée deux ans plus tôt par Renoir, *Marquitta* (ci-dessous, avec Marie-Louise Iribe et Jean Angelo). Le plus beau souvenir que Renoir gardait de ce film perdu, dont le titre emprunté à une chanson populaire donnait le ton, était celui d'un trucage : un décor miniature du métro aérien et du carrefour Barbès-Rochechouart projeté sur un miroir.

tous deux figurent dans *Trois Pages d'un journal* de G. W. Pabst. L'année suivante, il est de nouveau à Berlin, avec Catherine, pour tourner dans *La Chasse au bonheur* de Rochus Gliese. Jean, autant que Catherine, aime l'atmosphère des studios berlinois et la vie de bohème cosmopolite qu'ils mènent dans la capitale allemande.

Dès la sortie sur les écrans parisiens, en octobre 1929, du premier film parlant, *Le Chanteur de jazz*, Renoir a perçu les possibilités nouvelles ouvertes au cinéma par cette révolution. Le premier film sonore et parlant qu'il tourne est *On purge bébé* (1931), avec Fernandel et Michel Simon, dont il fera, bien sûr, un film expérimental. La pièce de Feydeau n'est à ses yeux qu'un exercice servant à démontrer qu'il est capable d'écrire une adaptation en une semaine, de tourner celle-ci en une semaine et d'expédier le montage en une autre semaine. Le film sort immédiatement et rapporte, toujours en une semaine, plus que les 200 000 francs qu'il a coûté.

Jean a un projet plus ambitieux en tête : tourner *La Chienne*, d'après un roman populaire de Georges de La Fouchardière, et former un «couple» dont il attend beaucoup : Catherine Hessling et Michel Simon.

Tourné avec des acteurs de théâtre (ci-dessous, Marguerite Pierry et Jacques Louvigny), *On purge bébé* est une adaptation fidèle de la pièce de Feydeau et, pour Renoir, une sorte d'examen de passage destiné à convaincre, non pas Pierre Braunberger, l'ami devenu directeur des studios de Billancourt, mais Roger Richebé, l'autre directeur, et le futur commanditaire M. Monteux. Renoir invente d'enregistrer en direct le bruit d'une chasse d'eau et celui d'un vase de nuit qui se brise : une farce pour célébrer son premier film sonore. Une innovation aussi, car les bruits au cinéma étaient alors toujours des imitations, comme à la scène.

«Lorsqu'un fermier français se trouve à la même table qu'un financier français, ces deux Français n'ont rien à se dire. Mais si nous imaginons une réunion entre notre fermier français et un fermier chinois, ils auront des tas de choses à se raconter. Ce thème du rassemblement des hommes par métier ou par intérêts communs m'a poursuivi toute ma vie et me poursuit encore. [...] Il figure plus ou moins dans chacun de mes ouvrages.»

Jean Renoir, *Ma vie et mes films*

CHAPITRE 2

PARIS DES SONGES

Renoir dirigeant ses acteurs : pour la scène du suicide de *Boudu* (à droite), il laisse Michel Simon déambuler, le suivant de loin avec un objectif. A gauche, il conseille Simone Simon pour *La Bête humaine*.

Les commanditaires de *La Chienne* (1931) sont enfin prêts à faire confiance à Jean Renoir, mais ils soulèvent un problème grave qui remet en question sa vie personnelle : ils lui imposent l'actrice principale, Janie Marèze, vedette entre autres de *Mam'zelle Nitouche* de Marc Allégret (1931). L'enjeu est trop grand, Jean ne cédera pas à la volonté de sa femme. Entre Catherine Hessling et lui, ce sera la rupture.

Une bombe : «La Chienne»

La Chienne est avant tout pour Renoir les rêves et le malheur de Michel Simon, persécuté par la médiocrité quotidienne, épris d'une prostituée cupide et incapable de partager ses rêves. La jeune femme fera tout basculer par sa cruauté ; son amant méprisé la tuera. Jean imagine les expressions qu'il espère surprendre sur le visage de Michel Simon. Il entend déjà la rengaine telle qu'elle sera interprétée dans son film, les bruits de la rue, ceux des pas, de la pluie, et le silence. Il sent la poésie sordide et grisâtre de la ville

Michel Simon (ici, caressant le genou de Lulu, sa maîtresse dans le film) reconnaissait «nourrir pour *La Chienne* une immense tendresse [...]. Un film dans lequel je me suis mis tout entier, en toute liberté. Je les compte sur les doigts d'une seule main. Ça m'est arrivé une autre fois avec Renoir et ce fut *Boudu*.»

qu'il aime. Le film reflète la technique acquise au cours des «bricolages» passés, l'étude des grands Américains vus et revus. A ce qui aurait dû n'être qu'une œuvre du genre feuilleton naturaliste, Jean apporte sa connaissance des divisions de la société et des différences de classes. Il y exprime son amour de Montmartre et de ses petites gens. L'œuvre est noire, âpre et âcre.

Durant tout le tournage, Jean a pris soin de tenir ses commanditaires à distance. Lorsqu'ils découvrent le film, ils sont épouvantés – ils attendaient un vaudeville. Pour, disent-ils, éviter le désastre, ils prétendent imposer au réalisateur un nouveau montage. Renoir refuse. On lui interdit l'entrée des studios, il crie qu'on lui a volé son film. Altercations, menaces, intervention de la police... finalement le

Janie Marèze (ci-dessous en photo) interprète avec le personnage de Lulu son plus grand rôle – qui sera le dernier : deux semaines après la fin du tournage, elle trouve la mort dans un accident de voiture. Georges Flamant, son souteneur dans le film devenu son amant à la ville, était au volant ; il avait acheté la voiture, une grosse américaine, avec son cachet. Michel Simon, admirateur transi de la jeune femme, s'évanouira d'émotion au cours de son enterrement.

réalisateur obtiendra gain de cause. Mais il n'est pas au bout de ses peines. Le lancement du film est aussi plein d'imprévu. Il faudra toute l'imagination et la ruse d'un distributeur, propriétaire de plusieurs grands cinémas, qui inventera une campagne de publicité fracassante, pour remplir les salles. Quoi qu'il en soit, Jean Renoir a réalisé, pour la première fois, ce dont il avait rêvé : un film populaire qui exprime par l'image et la maîtrise de la technique la complexité des êtres.

«Le seul grand film policier français»

Renoir ne pense déjà plus qu'à son prochain film, la première adaptation d'un roman de son ami Georges Simenon, *La Nuit du carrefour* (1932). Le tournage a lieu la nuit, au nord de Paris. La beauté insolite de la séduisante coupable (une jeune Danoise inconnue, Winna Winfried) que le commissaire Maigret (Pierre Renoir) finira par démasquer contraste avec l'aspect

Michel Simon fascine Jean Renoir : «Son visage est aussi passionnant que le masque de la tragédie antique.» Le rôle du clochard inadaptable de *Boudu sauvé des eaux* semble avoir été conçu pour son tempérament d'anarchiste. Ci-contre, Michel Simon et Séverine Lerczinska, la servante-maîtresse du libraire que le clochard «réhabilité» épouse dans la pièce et fuit le jour de leurs noces, dans le film, en se jetant à l'eau une seconde fois.

Pour tourner *La Nuit du carrefour*, Renoir et sa bande ont campé pendant trois semaines dans une ferme abandonnée, près d'un carrefour sinistre, s'accommodant de la pluie, du brouillard et du froid. Pierre Renoir (ci-contre, debout, le verre à la main), le frère de Jean, tient le rôle du commissaire Maigret. L'atmosphère du livre de Simenon est remarquablement traduite à l'écran : «J'ai mis de l'obscurité partout, non seulement dans les plans mais dans l'histoire, dans mon scénario, dans mon découpage, dans le dialogue.»

sordide du lieu. Le film restitue admirablement l'atmosphère de brume et de mystère propre au romancier belge. «*La Nuit du carrefour*, le seul grand film policier français, que dis-je, le plus grand film français d'aventures», écrira Jean-Luc Godard.

Fin avril 1932, au moment de la sortie de *La Nuit du carrefour*, Jean Renoir, une fois de plus, se voue tout entier à un autre projet qui l'empêche de prendre mal son échec commercial. Michel Simon lui a exprimé son désir d'être le producteur d'un film tiré d'une pièce de René Fauchois, *Boudu sauvé des eaux*, qu'il avait jouée au théâtre. Boudu, un clochard qui s'est jeté dans la Seine, est recueilli par un libraire de la Rive gauche décidé à le réconcilier avec la société. Acteur et réalisateur s'en donnent à cœur joie, exprimant librement leur anticonformisme et leur irrévérence. L'adaptation est loin de satisfaire

L'affiche de 1932 joue sur le contraste entre la lumière du faisceau du projecteur et l'obscurité ambiante.

«Nous nous entendons à merveille. Il déteste autant que moi les complications extravagantes de la vie cinématographique», disait Renoir à propos de Michel Simon. Il l'avait déjà fait tourner en 1927, dans *Tire au flanc*, un film farce où l'acteur apparaît en nymphe (à gauche). Il envisageait de faire avec lui un drame et un film comique par an. En 1931, ils tournent *La Chienne* et *Boudu* (ci-dessous, le clochard à la barbe broussailleuse, devenu glabre et cravaté devant son mentor libertin, Charles Granval, au pied de l'escalier). Leur collaboration n'ira pas au-delà.

Après *Chotard et Cie* (ci-contre), film «alimentaire», Renoir entreprend une adaptation de *Madame Bovary*, jouant sur le contraste entre le réalisme des décors et des costumes et le jeu stylisé des acteurs (à droite, Valentine Tessier-Emma et André Fouché-Justin).

l'auteur de la pièce; la fin est changée pour que Boudu, qui dans la pièce rentrait dans le rang, demeurât insoumis. Elle plaît à Michel Simon qui, ainsi, s'identifie totalement au personnage.

L'argent manque toujours, et Renoir tourne sur demande *Chotard et Cie* (1933), pièce d'un dramaturge à la mode, Roger Ferdinand, qui se réserve le droit d'écrire les dialogues et impose un contingent d'acteurs de théâtre. Renoir s'en accommode.

Gaston Gallimard et Gustave Flaubert

Il est plus enthousiaste lorsque Gaston Gallimard lui propose d'adapter *Madame Bovary* pour la société de production qu'il a créée, La Nouvelle Société de films, en confiant le rôle-titre à Valentine Tessier, vedette de la troupe de Louis Jouvet. Jean, à qui Gallimard laisse toute liberté, propose une interprétation singulière du roman qu'il tourne pendant l'été 1933 en Normandie. Les dialogues, pour lesquels il n'utilise que le texte flaubertien, seront déclamés par les interprètes avec une affectation qui distancie la réalité du spectacle. Valentine Tessier incarne Emma Bovary telle que celle-ci se voit et non telle qu'elle est réellement. L'utilisation de la caméra épouse ce parti pris de faux naturel. En même temps, la réalité est minutieusement reproduite dans le décor, dans les paysages aussi bien que dans les intérieurs et les costumes.

Le film durant plus de trois heures, on décide d'en couper soixante-dix minutes. L'enchaînement des scènes est sacrifié ; il en résulte un film chaotique qui ne peut être apprécié du public. *Madame Bovary* sort en outre à un moment grave, un mois avant les émeutes du 6 février 1934, fomentées par l'extrême-droite, qui faillirent renverser le régime parlementaire. Depuis quelque temps déjà, Jean est sensibilisé aux événements politiques par celle qu'il nomme «ma monteuse et compagne», Marguerite Houllé, que le monde du cinéma a pris l'habitude d'appeler Marguerite Renoir, fille d'ouvriers militants syndicalistes de Montreuil.

La réalité contredit la fiction : durant le tournage (ci-dessous, à Lyons-la-Forêt), Valentine Tessier s'éprend de Pierre Renoir-Charles Bovary.

L'engagement, jusqu'où et jusqu'à quand?

Comme son père, Jean ne s'est jamais senti solidaire de la classe bourgeoise dont il réprouve les abus, mais il se tient à l'écart – quand il ne les méprise pas – des déchirements entre partis. Il existe chez lui une sorte de désenchantement venu du scepticisme de son père et de sa propre expérience de la guerre.

Les films Marcel PAGNOL présentent
un Film de Jean RENOIR
TONI

> "Dans *Toni* [...], tout avait été mis en œuvre pour que notre travail soit aussi proche que possible du documentaire. Notre ambition était que le public puisse imaginer qu'une caméra invisible avait filmé les phases d'un conflit sans que les êtres humains inconsciemment entraînés dans cette action s'en soient aperçus."
>
> Jean Renoir, *Ecrits*

Pourtant, grâce à Gabrielle qui lui a donné l'exemple d'une curiosité généreuse, il ne s'enferme pas dans son univers privilégié.

Les événements du 6 février 1934 bouleversent Marguerite Renoir et les siens. Jacques Becker, l'assistant de Renoir, nombre d'amis cinéastes et acteurs parlent de descendre dans la rue pour sauver la République. Jean est décidé à participer à sa manière à l'action de ceux qui réclament plus d'égalité et de justice sociale.

Le moment est venu de tourner une histoire que lui a racontée, dix ans plus tôt, Jacques Mortier, un ancien camarade de classe devenu commissaire de police et écrivain sous le pseudonyme de Jacques Levert : un fait divers qui s'est déroulé aux Martigues, près de Marseille, région alors en pleine expansion où les ouvriers immigrés espagnols et italiens ne sont pas acceptés par la population. Le drame reflète l'affrontement de traditions différentes, l'incompréhension due aux préjugés courants contre les étrangers, accusés de voler le travail et les femmes. Le film s'appellera *Toni* (1935), du nom de l'homme qui perd la vie, victime de la haine. Comme toujours, Jean aura des difficultés pour trouver des fonds. Un ami, producteur indépendant, lui apporte 500 000 francs, la moitié de la somme nécessaire. L'autre moitié sera fournie par Marcel Pagnol qui sera aussi le distributeur.

Collaboration avec Jacques Prévert

Après *Toni*, Jean s'avance davantage sur le chemin de l'engagement. En 1935, il réalise *Le Crime de M. Lange*, avec les membres du Groupe Octobre, de jeunes comédiens, peintres, musiciens et écrivains d'extrême-gauche, rassemblés autour de Jacques Prévert, qui se bat gaiement contre la bêtise et le conformisme. Le Groupe Octobre, rattaché à la Fédération du théâtre ouvrier de France, donne des représentations dans les usines. Renoir connaît les Prévert : Pierre a été son assistant.

Toni a été plutôt mal accueilli. «Les gens ont horreur qu'on les change dans leurs petites habitudes», explique Renoir. Pourtant ces «petites habitudes» allaient changer. Ci-dessous, à droite, un kiosque endommagé le 6 février 1934, quelques mois avant le tournage; au centre, Edouard Delmont dans le rôle de Fernand, l'ami de Toni.

L'histoire de M. Lange et de la petite coopérative qu'il est amené à fonder illustre avec beaucoup de justesse la vie quotidienne des habitants d'un pâté de maisons dans le Paris populaire de l'époque où l'on croyait «aux lendemains qui chantent». Jacques Prévert collabore au scénario et aux dialogues du *Crime de M. Lange*. Dans la cocasserie des situations et des dialogues, la légèreté sans amertume de la critique sociale, l'anticléricalisme, le choix des métiers des personnages (les blanchisseuses, par exemple), on retrouve son génie. La technique cinématographique et la direction des acteurs portent, en revanche, nettement la marque de Renoir.

Durant l'hiver 1935-1936, Jean est invité à Moscou pour présenter *Toni* dans le cadre d'un festival. C'est la grande époque du cinéma soviétique – Nicolaï Ekk, Gregori Kozintsev, Leonid Trauberg. Renoir est curieux des dernières réalisations de ses confrères soviétiques et il admire la manière dont ils photographient. Eux, par contre, ne semblent pas impressionnés par son film. Au point que, à la projection, les bobines ont été interverties. Renoir ne s'en froisse pas : il a accepté l'invitation pour apprendre quelque chose et non dans le but de recueillir des compliments. C'est une des facettes attachantes de son caractère.

Le Groupe Octobre, formé autour de Jacques Prévert, était une bande de joyeux saltimbanques qui jouaient dans les usines ou les grands magasins. A gauche, le groupe donne une représentation de *Vive la presse*; Jacques Prévert est assis à gauche de la scène (le troisième personnage à partir de la gauche, avec moustache et casquette). Jean Renoir fit appel à lui pour le scénario et les dialogues du *Crime de M. Lange*.

Renoir cinéaste de la vie de quartier : les repasseuses s'affairent dans la petite boutique donnant sur la cour où se déroule *Le Crime de M. Lange* (à gauche, au premier plan, Janine Loris, qui épousera Jacques Prévert). François Truffaut a rendu hommage à ce film, «de tous les films de Renoir le plus spontané, le plus dense en "miracles" de jeu et de caméra, le plus chargé de vérité et de beauté pures, un film que nous dirions touché par la grâce».

«Tout honnête homme se devait de combattre le nazisme. Je suis un faiseur de films, ma seule possibilité de prendre part à ce combat était un film» (Renoir). Ce sera *La vie est à nous*, où Jean apparaît levant le poing.

Le Front populaire : «La vie est à nous»!

A la sortie de *M. Lange*, Jean travaille sur un film commandité par le Parti communiste, *La vie est à nous* (1936), film à sketches qui doit être montré durant la campagne électorale du Parti. Ce film n'obtiendra pas de visa de censure; il ne sera distribué dans des circuits commerciaux que plus de trente ans après, à la suite des événements de mai 1968. Les places étaient gratuites, mais les spectateurs devaient s'abonner à *Ciné Liberté*, une revue fondée à cette occasion par

Germaine Dulac, Léon Moussinac, Henri Jeanson
et Jean Renoir, qui signe dans le premier numéro un
article sur *Les Temps modernes* de Charlie Chaplin.
Paul Vaillant-Couturier, de la direction du Parti,
collabore au scénario du film. Jean-Paul Dreyfus
– qui deviendra Jean-Paul Le Chanois sous
l'Occupation – est chargé de surveiller le réalisateur.
Renoir fait équipe avec trois jeunes cinéastes; il
supervise toutes les séquences et, en écho au cinéma
soviétique, il dirige le grand défilé populaire final.

En avril 1936, le Front populaire, coalition des
radicaux, des socialistes et des communistes,
remporte la victoire aux élections.

Grèves et
manifestations
saluent dans toute
la France la victoire
du Front populaire.
Ci-dessous, c'est à
Marseille qu'on se
réjouit de voir Léon
Blum à la tête du
gouvernement qu'il
a formé le 4 juin 1936.
Encouragé par la
famille de Marguerite,
sa compagne, Jean
fréquente les dirigeants
communistes, heureux
d'avoir contribué à leur
succès aux élections
(ci-dessous, à sa droite,
Maurice Thorez et
Jacques Duclos). Mais
après s'être engagé,
comme il l'a cru bon,
pour assurer la victoire
de la gauche, il désire
retourner à des sujets
différents, des sujets
qui lui tiennent
personnellement
à cœur. Ses films
suivants, comme
le reste de son œuvre,
seront marqués par
un sens profond de
l'humain et il ne
manquera pas de
continuer à dénoncer
l'injustice sociale.

Partie de campagne, c'est «l'histoire d'un amour déçu suivi d'une vie ratée». Une histoire douce-amère que Renoir tourne sur les bords du Loing, près de Marlotte, dans des paysages qui lui sont familiers. Réminiscence du passé, les vêtements de ses personnages rappellent les toiles de Pierre-Auguste. Ainsi la robe de Mme Dufour (Jane Marken, ci-contre) évoque celle de la femme de *La Promenade*, un tableau de 1870 (ci-dessous).

De Maupassant...

Commencé durant l'été 1936, *Partie de campagne* est tiré d'un conte de Maupassant qui met en scène la fulgurante idylle d'un séduisant canotier et d'Henriette Dufour, fille d'un quincaillier parisien venue un dimanche, en famille, déjeuner sur l'herbe. Sylvia Bataille, à la beauté fragile et rêveuse, contribue à la mélancolie bouleversante du film. Une émotion exceptionnelle se dégage de cette campagne de Marlotte et des bords du Loing, si familière à Renoir qui ne commet pas l'erreur d'évoquer directement des toiles de son père. Le film exprime

à la fois l'éblouissement de la révélation de l'amour charnel et la médiocrité de petits-bourgeois rongés par les préoccupations matérielles.

Le tournage est difficile, il pleut sans cesse. Quand la troupe se disperse parce qu'il n'y a plus d'argent pour payer l'auberge ni même les acteurs et les techniciens, il pleut toujours. Bravant la colère de Sylvia Bataille, Renoir hâte les séparations en déclarant qu'il doit abandonner, pris par un autre engagement. Monté par Marguerite Renoir, le film, de quarante minutes, ne sera présenté au public qu'en mai 1946 et remportera un succès qui n'a jamais cessé depuis.

Renoir avait adapté *Partie de campagne* pour Sylvia Bataille, à qui il confie le rôle d'une petite bourgeoise rêvant d'un autre univers (ci-dessus au côté de Gabriello et de Paul Temps). Avec *Les Bas-Fonds*, il découvre Jean Gabin (ci-contre) – «une découverte de taille».

... à Gorki

C'est une adaptation de la pièce de Gorki, *Les Bas-Fonds*, qui précipite le départ de Jean Renoir du tournage de *Partie de campagne*. Ce ne sera pas le dernier changement déconcertant de sa carrière. Le producteur russe Alexandre Kamenka lui a proposé de reprendre le scénario de deux autres Russes, Eugène Zamiatine et Jacques Companeez. Renoir hésite. Kamenka acceptera-t-il ce qui lui paraît la seule solution : garder les noms russes des personnages mais placer l'histoire dans la France de 1936 ? Zamiatine envoie le scénario refait par Jean Renoir et Charles Spaak à Gorki qui l'accepte mais ne verra jamais le résultat – il meurt un mois plus tard.

Renoir est tenté car il sait que Louis Jouvet et Jean Gabin seront ses interprètes. Kamenka ayant donné son accord, il ne reste plus qu'à tourner. Ses personnages sont loin de ceux de Gorki et l'esprit qui se dégage du film est différent. La pièce originale, créée en France par Georges Pitoëff en 1922, se déroule dans une Russie tsariste parcourue par le désespoir; le film de Renoir, qui se passe au lendemain de la victoire du Front populaire, donne un sentiment d'espoir diffus.

A sa sortie en salle, en décembre 1936, le film, pourtant couronné par le prix Louis-Delluc qui vient d'être

❝ Tout en parlant, le baron [Louis Jouvet, ci-dessous à droite] avise un petit escargot qui grimpe le long d'un brin d'herbe. Il prend l'escargot et le place sur son doigt pour le faire grimper. J'ai assisté à plusieurs représentations des *Bas-Fonds* devant le public, ça ne rate jamais. Lorsque l'escargot se mettait à grimper sur le doigt de Jouvet la salle se détendait. On sentait cette masse de spectateurs suivre avec passion les mouvements de l'escargot. Le baron leur devenait familier et ils s'identifiaient à Gabin pour écouter cette histoire. **❞**

Jean Renoir,
Ma vie...

créé, déconcerte un public qui s'attend à voir une adaptation fidèle de la pièce de Gorki. Mais la presse de gauche encense le film et c'est l'œuvre tout entière de Renoir qui est enfin reconnue.

«La Grande Illusion», «parce que je suis pacifiste»

La Grande Illusion (1937), son nouveau film, va connaître un succès dépassant toutes les espérances. Jean Renoir réfléchissait depuis longtemps à un scénario où il exprimerait ses souvenirs et ses idées sur la guerre. Mais trouver un producteur est toujours aussi difficile. Jean Gabin lui apporte son aide dans cette recherche et promet de jouer dans le film.

L'arrivée en France d'Erich von Stroheim, rejeté par Hollywood, provoque un remaniement majeur dans le projet : Jean veut tourner avec celui qu'il considère comme son père en cinéma ; il lui offre le rôle phare du film, l'inoubliable officier prussien aux idées aussi rigides que son corps blessé, rivé dans son corset de fer et sa minerve. Même l'aristocrate français, incarné par Fresnay, qui choisira de mourir pour ses deux camarades sortis du rang – l'un juif (Dalio), l'autre parisien des faubourgs (Gabin) –, sait que sa classe doit compter avec le peuple. Le film est l'occasion pour Jean Renoir d'illustrer

En octobre 1937, au terme d'une projection de *La Grande Illusion*, le président des Etats-Unis Franklin Roosevelt déclare : «Tous les démocrates du monde doivent voir ce film.» Cette réflexion sera mise en exergue au film dix ans plus tard. A l'époque du tournage, le danger nazi est de plus en plus menaçant ; Renoir en est conscient, tout autant que des barrières entre les classes sociales. Seul l'amour, à l'image de celui qui naît entre l'officier Gabin et Dita Parlo la paysanne, peut transcender nationalités et différences sociales. Le film sera mis à l'index par Hitler et par Mussolini.

Grand prix du cinéma français, *La Grande Illusion* reçoit en 1937 à Venise la coupe du meilleur ensemble artistique – spécialement créée pour éviter de lui donner la «coupe Mussolini» – et, l'année suivante, à New York, le prix du meilleur film étranger. Renoir a été servi par des comédiens hors pair : Werner Florian, Julien Carette, Jean Gabin, Pierre Fresnay (ci-contre, de gauche à droite, au premier plan), Jean Dasté, Marcel Dalio, Gaston Modot (au second plan) et bien sûr Eric von Stroheim (à gauche). Ci-dessous, l'affiche de 1945. Pages

sa vision de la société. Les hommes se divisent de deux manières : les divisions horizontales créées par les classes sociales, les divisions verticales créées par la géographie. Ainsi, Stroheim et Fresnay, qui appartiennent à deux nations ennemies, accomplissant leur devoir dans la guerre qui les oppose, se reconnaissent comme proches ; ils ont reçu la même éducation, ils obéissent aux mêmes règles. Gabin et Dalio sont issus d'une autre division horizontale, la même pour tous les deux, malgré leur différence de religion et de fortune. Les divisions verticales, entre nations, fabriquées arbitrairement, entraînent les malentendus

entre peuples, les conflits, et tant de sacrifices de vies humaines. En évoquant de nombreuses situations qui se présentent à ces hommes que les hasards de la guerre forcent à vivre ensemble dans leurs camps de prisonniers, Jean Renoir se délivre de ses fantasmes militaires, lui qui, avant de connaître l'enfer des tranchées, avait choisi aveuglément la carrière des armes. Le succès du film est mondial.

suivantes, à gauche en haut, rencontre des deux officiers aristocrates, von Stroheim et Fresnay ; à droite, les mêmes avec le lieutenant Gabin ; en bas, von Stroheim empêche la sentinelle de tirer sur les évadés.

«La Marseillaise», un tournage contrarié

Jean Renoir se lance alors dans une aventure de beaucoup plus grande envergure que *La vie est à nous* : *La Marseillaise*, une production de la CGT, soutenue par le gouvernement, qui doit être «réalisée par le peuple». L'armée participera au tournage du film, pour la reconstitution de la bataille de Valmy ainsi que pour l'intendance – elle prêtera ses camions pour le transport des figurants sur les lieux de tournage et ses cuisines roulantes pour la restauration de toute la troupe. Le gouvernement doit aussi donner l'autorisation de tourner à Versailles, à l'intérieur du château comme dans le parc. Un grand meeting réunissant intellectuels et hommes politiques est organisé à Paris pour recueillir des fonds.

Le 21 juin 1937, après avoir proclamé en février la «pause», c'est-à-dire l'abandon des réformes sociales promises par le Front populaire, le gouvernement Blum tombe. Le projet de *La Marseillaise* est compromis, mais Jean Renoir ne renonce pas. Il s'occupe de lever des fonds privés et de créer une société de production et d'exploitation pour le film, et retourne à son équipe habituelle d'assistants et de techniciens. Parce que les conditions de travail sont différentes de ce qu'il espérait, il modifie les proportions de

La Marseillaise, c'est la révolution au quotidien. Le quotidien de la cour à Versailles où Louis XVI (Pierre Renoir, à gauche) apprend par La Rochefoucauld-Liancourt la prise de la Bastille, puis aux Tuileries où Roederer (Louis Jouvet, ci-contre) presse la famille royale de se placer sous la protection de l'Assemblée nationale. C'est aussi le quotidien du maçon Bornier, de son compagnon Arnaud et de Cabri le paysan, réfugiés dans la montagne provençale puis montant à Paris avec les fédérés. Ou encore celui des émigrés de Coblence qui dansent et pleurent «le joli lieu de leur naissance».

son film qui commence dans un maquis de Haute-Provence et se termine juste avant la bataille de Valmy, avec l'arrivée à Paris d'un bataillon de volontaires parti de Marseille, le jour où le roi signe le manifeste de Brunswick, entraînant de sanglantes émeutes, la prise des Tuileries et la fuite de Louis XVI.

Le film, minutieusement documenté, met en scène la misère, les espoirs, les faiblesses des Marseillais mais aussi les émigrés de Coblence dont la tristesse et la futilité paraissent pitoyables. Louis XVI lui-même, interprété par Pierre Renoir, est loin d'être haïssable. Jean Renoir conserve une grande liberté de jugement tant sur les événements que sur les Français des deux camps.

Avec ce film qu'il veut «partisan mais de bonne foi», selon ses propres termes, Jean liquide, en quelque sorte, son illusion de fraternité, même s'il ne rejette pas les sympathies qui lui font écrire régulièrement, chaque semaine, du 4 mars 1937 au 7 octobre 1938, une chronique pour *Ce soir*, le quotidien communiste dirigé par Aragon.

Renoir voulait que le film fût «fait pour le peuple et par le peuple». «Ce que je veux montrer, c'est la grandeur de l'individu au milieu d'une action collective.» Pour le financer, on lança une souscription : les parts (2 francs chacune) étaient récupérables sur le prix d'une place à la projection du film.

· DISTRIBUTION · présente

Marseillais
UN FILM DE JEAN RENOIR

« *La Bête humaine* ne fit qu'affirmer mon désir de réalisme poétique. La masse d'acier de la locomotive devenait dans mon imagination le tapis volant des contes orientaux» (Renoir). Jean Gabin rêvait de conduire une locomotive, Renoir comble son vœu en lui offrant le rôle de Jacques Lantier. L'opinion chère à Zola selon laquelle la société est coupable des fautes des individus convient à Renoir qui ne renie pas son espoir des années passées. En 1938, la situation politique internationale se dégrade, il le sent bien. Son film reflète ses craintes. C'est un vrai film noir, jusque dans les contrastes du noir et blanc. Tout est filmé en direct, sans trucage, sauf le suicide de Lantier (en haut), imaginé par Renoir pour accentuer le tragique du destin du couple Lantier-Séverine (Jean Gabin-Simone Simon, ci-contre).

Retour à Zola

Jean Renoir, qui n'a plus ni producteur ni film en chantier, se remet à écrire. Un mois avant la sortie de *La Marseillaise*, le 8 janvier 1938, il dépose à l'Association des auteurs de films un projet, *Les Sauveteurs*. La première phrase est prémonitoire : «Nous sommes à la veille d'une guerre

Claude Renoir (ci-dessous avec Jean, son oncle), opérateur pour *La Bête humaine*, a bien failli perdre la vie en tournant la séquence d'ouverture, dans le tunnel. Pour filmer cette séquence

internationale.» L'histoire illustre sa hantise des dégâts causés par les «divisions verticales» entre les peuples. Le projet restera enfoui, comme bien d'autres, déjà écrits ou qu'il écrira pour se donner l'espoir de voir se matérialiser ses songes.

Des producteurs, les frères Hakim, lui proposent alors un autre projet, *La Bête humaine* de Zola. En douze jours, il écrit une adaptation située à l'époque contemporaine, jugeant qu'une reconstitution historique distrairait l'attention du spectateur et nuirait à l'émotion qui doit se concentrer sur le drame. En fait, le projet est écrit pour Jean Gabin, et Renoir parvient à imposer Simone Simon, dont il dira :

comme si elle était vue par l'œil de Gabin, Claude était attaché contre le flanc de la locomotive, «avec sa caméra tenue par un petit assemblage de bois qu'on avait fabriqué». Mais la caméra était fixée un peu trop haut. Il s'aperçut au dernier moment qu'elle allait être happée par le mur du tunnel, il eut tout juste le temps de baisser la tête.

Jean Renoir réalisera quatre films avec l'acteur du cinéma français le plus célèbre de son époque. Dans le rôle de Lantier (à gauche), il a voulu qu'il nous «intéresse autant qu'Œdipe roi. Ce mécanicien de locomotive traîne derrière lui une atmosphère aussi lourde que celle de n'importe quel membre de la famille des Atrides». Dans *La Grande Illusion* (en bas à gauche), Jean Gabin s'est métamorphosé en Maréchal, le lieutenant prolétaire, «bon cœur et mauvais caractère», personnage encore nouveau qui, par son courage, sa désinvolture gouailleuse, fascine autant que les deux officiers aristocrates. Ci-contre, aux côtés de Junie Astor, il est le voleur Pépel des *Bas-Fonds*, premier film que l'acteur tourna avec Renoir. Il y apparaît déjà avec toute la densité qu'il saura donner aux personnages renoiriens, par le charme de sa voix et l'immobilité de ses traits soulignés par Renoir. Enfin, Gabin est l'irrésistible Danglard aux tempes grises de *French Cancan*, qui aime la jeune Nini (Françoise Arnoul) et lui apprend ce qu'est une vocation.

«Elle glisse sur les effets, elle est modeste, elle n'appuie jamais. Elle a su être ma chère Séverine, ce curieux petit personnage passif et pourtant destructeur, ce minuscule centre du monde que sont toutes les femmes qui traînent le malheur derrière leurs talons Louis XV.» Le récit est dépouillé de certaines anecdotes et de quelques événements pour n'être plus qu'une pure tragédie, baignée par la poésie de la locomotive à vapeur et des paysages parisiens de la gare Saint-Lazare et son tissu de voies ferrées. La séquence d'ouverture, une locomotive lancée à pleine vitesse vers Le Havre, qui annonce la folie et le suicide du héros, est à elle seule un morceau d'anthologie. Tout le film est au diapason. C'est le deuxième succès critique et commercial de l'auteur, qui n'en connaîtra un autre que seize ans plus tard avec *French Cancan*.

Après *La Bête humaine*, Renoir aspire à s'éloigner du naturalisme avec un film «classique et poétique». Au divertissement et à la fête, *La Règle du jeu* intègre les sentiments les plus graves, les situations les plus dramatiques, la mort même – celle du naïf. Ci-dessous, le marquis de La Chesnaye (Marcel Dalio) et Octave (Jean Renoir), les personnages clés de cette histoire trop réelle.

«La Règle du jeu» : «un drame gai»

Jean souhaite maintenant tourner un film qui l'empêcherait de penser à ce qui se passe dans le monde. Avec cinq

amis, il fonde une société de production, la Nouvelle
Edition française, qui doit produire deux films par an,
une sorte d'équivalent des Associated Artists de
Hollywood. En même temps, il se plonge dans la
relecture des classiques du XVIIIe siècle pour lesquels
il a une prédilection, Marivaux
et Beaumarchais, et écoute de
la musique baroque française
de Lulli et Grétry.

Sans qu'il en ait conscience,
son film sera une sorte
d'autobiographie, «un drame
gai», dont il rédige le scénario
avec son vieil ami Karl Koch.
L'action se déroule pour
l'essentiel dans un château de
Sologne dont le propriétaire, le
riche marquis de La Chesnaye, a
invité ses amis à chasser sur ses
terres. Sa femme, fille d'un grand
musicien viennois, n'a pas
encore appris à vivre selon la
règle du jeu de leur milieu où la
dissimulation et le mensonge
font partie de la bonne
éducation. Pour distraire les
invités, il y aura une
représentation théâtrale et un
bal costumé. Il y aura aussi le meurtre de centaines
de lapins et celui – par erreur – d'un aviateur aussi
naïf que la belle marquise dont il est
amoureux. Jean Renoir joue lui-même
un rôle important : celui d'Octave, le

Tout en bavardant de
choses
insignifiantes, les
invités tirent lapins et
faisans en un feu nourri.
Un massacre qui nous
vaut quelques gros plans
d'une grande cruauté.

dilettante qu'il serait devenu s'il n'avait pas été sauvé par son amour du cinéma. Un raté plein de finesse qui perd sa vie, qui n'a pas osé tenter une carrière de chef d'orchestre, comme il n'ose pas séduire une femme, même Lisette la femme de chambre qui ne lui résisterait pas. Et il est, comme l'aviateur, amoureux de la belle étrangère. La fausse actrice-vraie aristocrate Nora Grégor, Jean-le-réalisateur l'a choisie sur un coup de cœur.

La Règle du jeu (1939) est le sommet de la première partie de la carrière de son auteur. Accueilli par des cris de haine et des gestes hostiles du public de la

La belle Christine de La Chesnaye (Nora Grégor) se confie à sa femme de chambre, Lisette (Paulette Dubost), qui, comme un personnage de Marivaux, comprend mieux qu'elle la complexité des relations humaines et des conflits amoureux. C'est l'univers de Musset et des *Caprices de Marianne* que Renoir avait au départ l'intention de transposer. Il en a gardé le personnage d'Octave et celui de Cœlio, qui devient Jurieux, l'aviateur innocent.

salle des Champs-Elysées où il est présenté en juin 1939, le film est le témoignage le plus lucide qui existe sur l'état de la société française d'alors. Ce miroir qui leur est tendu, les Français ne peuvent le supporter à la veille de la guerre contre le nazisme.

Avec ce film qui a coûté fort cher (plus de 5 millions de francs), Jean a cru possible de faire passer le message qu'il veut toujours transmettre sur les horreurs de la guerre, l'égoïsme et l'inanité des riches. Chaque jour, suivant l'intensité des cris et des hurlements dans la salle, il fait abréger les séquences. Il est physiquement malade, moralement épuisé par la tension que cette profonde déception a éveillée en lui. Afin d'échapper à la dépression, il décide de partir pour Rome préparer *La Tosca*, répondant à une invitation reçue pendant qu'il tournait *La Règle du jeu*. Ses amis, Aragon en tête, ne peuvent accepter cette nouvelle volte-face qu'ils considèrent comme une traîtrise. Marguerite réprouve sa conduite aussi totalement que les autres. D'autant plus que ce n'est pas avec elle qu'il décide de partir mais avec Dido Freire.

A peine plus jeune que la «sauvageonne» Marguerite, Dido est une «belle étrangère». Elle est la fille d'un diplomate brésilien introduite dans le clan Renoir par le réalisateur Alberto Cavalcanti. Longtemps spectatrice, elle admirait Catherine Hessling autant que Jean et s'était liée avec Alain, leur fils, de douze ans son cadet. Il lui a fallu des années pour approcher de Jean. Elle a été script sur le tournage de *La Règle du jeu*. C'est là que tout a commencé.

Alain Renoir (ci-dessous avec son père) fut, à dix-huit ans, l'un des assistants opérateurs de *La Règle du jeu*.

Le personnage de Marceau (Julien Carette, au centre) témoigne de l'affection que Renoir porte aux braconniers. Irrésistiblement drôle, il est plus humain, plus généreux et plus sincère que tous les autres. Son bref passage parmi les domestiques du château fait prendre la mesure de sa qualité et renvoie le reste du groupe à sa médiocrité timorée copiée sur celle des maîtres. Ci-contre, Marceau entre Gaston Modot, le garde-chasse (à gauche), et Marcel Dalio, le marquis de La Chesnaye (à droite).

Nous allons
essayer de
faire un
drame gai.
C'était
l'ambition de
toute ma vie.
Jean Renoir

Au soir de la chasse, les amis du marquis de La Chesnaye improvisent une représentation théâtrale (ci-contre, au centre de la scène, Jean Renoir-Octave déguisé en ours, entre Mila Parély à sa droite et Nora Grégor à sa gauche). Pour filmer cette scène, spectacle dans le spectacle, Renoir n'a pas utilisé la technique du champ-contrechamp; il a préféré la filmer dans la continuité en un long plan-séquence qui saisit dans le même mouvement de caméra les différents groupes de personnages. *La Règle du jeu* a été très mal accueillie par le public qui n'a pas compris l'intention du réalisateur.

"Les gens entraient dans le cinéma avec l'idée qu'ils allaient se distraire de leurs soucis [...]. Je les plongeais dans leurs propres problèmes. L'imminence de la guerre rendait les épidermes plus sensibles. Je dépeignais des personnages gentils et sympathiques mais représentais une société en décomposition. C'était d'avance des vaincus, les spectateurs les reconnaissaient. A vrai dire ils se reconnaissaient eux-mêmes. Les gens qui se suicident n'aiment pas le faire devant témoin.**"**

Jean Renoir, *Ma vie...*

«Je me voyais en rêve installé dans ce paradis, aux côtés de Griffith, Charlie Chaplin, Lubitsch et tous les saints du culte mondial du cinéma. Bien entendu, le Hollywood que nous imaginions était le vieil Hollywood. J'étais fort ému à la pensée que j'allais toucher du doigt les créatures immatérielles qui peuplaient le cinéma d'autrefois, ce cinéma que j'avais tant aimé.»

Jean Renoir,
Ma vie et mes films

CHAPITRE 3

L'EXIL

This Land is mine (Vivre libre), «c'est une histoire destinée à prouver que le métier de citoyen d'un pays occupé n'est pas aussi simple qu'on semblait le croire à Hollywood en 1943».

Renoir arrive à Rome le 14 août accompagné de Dido et de Karl Koch. Luchino Visconti, qui a été stagiaire sur *Toni* et assistant sur *Partie de campagne*, lui sert de guide. Il a compris ce qui peut l'inspirer et il l'aide à repérer les lieux de tournage.

Ce premier séjour sera bref. Le 23 août, la nouvelle de la signature du pacte germano-soviétique fait voler en éclats les derniers espoirs de paix. Le 31 août, Jean

❝L'échec de *La Règle du jeu* à sa sortie me déprima tellement que je décidai soit de renoncer au cinéma, soit de quitter la France. La divine providence [...] décida pour la seconde éventualité : ce fut la guerre.❞   Jean Renoir

APRÈS L'AGRESSION ALLEMANDE CONTRE LA POLOG

MOBILISATION GÉNÉRAL
en FRANCE et en GRANDE-BRETAGN

est à Cagnes. Il écrit à Visconti qu'il espère encore diriger *La Tosca*. Le lendemain, Hitler envahit la Pologne et, le 3 septembre, la Grande-Bretagne puis la France se déclarent en état de guerre avec l'Allemagne nazie. Jean est mobilisé dans les services photographiques de l'armée. «Je vais faire des films qui me passionneront. Non plus avec des acteurs mais avec des hommes, des vrais», annonce-t-il à Robert Flaherty sur une carte postale expédiée de Wangenbourg (Bas-Rhin) le 24 octobre 1939.

La «drôle de guerre»

Mais Jean Giraudoux en décide autrement. Nommé par Daladier directeur du commissariat général à l'information, il met le lieutenant Jean Renoir à la disposition des Affaires étrangères qui l'envoient à Rome – un geste diplomatique vis à vis de l'Italie qui n'est pas encore en guerre. On dit que Mussolini admire tant *La Grande Illusion* qu'il en possède une copie, alors que le film est interdit en Italie. Il a invité Renoir à Rome, afin qu'il reprenne *La Tosca* et donne un cycle de conférences sur le rôle du metteur en scène. Le gouvernement français ne veut négliger aucun moyen de s'assurer la neutralité du Duce.

A la mi-janvier, Jean et Dido, qui l'accompagne en qualité de secrétaire, retournent à Rome où Karl Koch se trouve encore. Luchino Visconti les aide à préparer le scénario tiré de la pièce de Victorien Sardou. Renoir rêve de faire de *La Tosca* une sorte de film policier, respectant l'unité de temps des tragédies. Il suivra ses héros heure par heure, pendant un jour et une nuit. Il souhaite tourner beaucoup en extérieurs. «Mon ambition est de donner au spectateur l'impression que le cinéma existait déjà en 1800 et les rues de Rome apparaîtront comme faisant partie d'un documentaire tourné à l'époque.» Il ne tournera que cinq plans. Le 10 mai, les troupes nazies entrent en Belgique et en Hollande; trois jours après, les *Panzerdivisionen* établissent trois têtes de pont sur la Meuse et l'ambassadeur de France conseille à son compatriote de partir. Le 10 juin, l'Italie entre dans la guerre. Karl Koch et Luchino Visconti achèveront le film sans Renoir.

Tandis que les troupes nazies déferlent vers Paris, Jean et Dido se lancent sur les routes de l'exode, comme des milliers de gens surpris et désespérés. Ils finiront par rejoindre Cagnes où Coco, le frère de Jean, est toujours propriétaire des Collettes.

À Rome, Jean Renoir retrouve Luchino Visconti, qui le considère comme son maître et l'aide à préparer une adaptation de *La Tosca* (ci-dessous, Visconti, à droite sous le parapluie, et Jean, de face). Contrairement à son habitude, Renoir a terminé le découpage

et les dialogues avant de commencer le tournage. Mais il ne pourra pas terminer le film, qui sera repris par Visconti et Karl Koch. En 1942, Visconti porte à l'écran le roman de James Cain *Le facteur sonne toujours deux fois*, dont Renoir lui avait apporté la traduction française; ce sera *Ossessione*, son premier grand film.

Ils y resteront jusqu'en octobre, accueillant des amis de passage, recevant aussi la visite d'émissaires qui assurent à Jean qu'il aura toute liberté de faire les films qu'il voudra. Le cinéma «français» a besoin de lui, prétendent-ils. Ce genre de discours le décide à partir. Dido y pense depuis longtemps. Dès le début de l'année, elle a écrit à Robert Flaherty pour lui demander son aide. Les Américains acceptent de leur donner asile : New York, où le grand «documentariste» les accueillera le 31 décembre 1940, puis Hollywood le 10 janvier 1941.

Le 20 décembre 1940, à Lisbonne, Jean Renoir et Dido Freire embarquent sur le *Siboney* (en bas; à gauche, Simone Simon). Destination : New York, dernière escale avant Hollywood.

Hollywood

L'Occupation a contraint Jean Renoir à changer de pays. Lui ne changera pas. Sa façon de travailler, ses illusions, ses déceptions resteront les mêmes. Ses relations avec autrui aussi. Mais la «bande» qui se trouvait dans sa mouvance ne sera plus jamais reconstituée. La simplicité de l'existence quotidienne à l'américaine lui convient. Il refuse de se laisser entraîner par les Français réfugiés qui se déchirent entre partisans de De Gaulle et de Pétain. Il se lie avec les cinéastes qu'il admirait de loin et aussi avec ceux, plus jeunes, qui viennent à lui spontanément. Tout va d'abord plus vite et aussi bien que prévu. Jean signe un contrat pour deux films avec la 20th Century Fox. Travailler avec Darryl F. Zanuck est certainement ce que Hollywood a de mieux à offrir, croit-il. Surtout, il espère écrire lui-même le scénario de son premier film américain. Pour toucher le grand public, Zanuck aimerait un sujet situé en Europe, traité par l'un de ses collaborateurs habituels ; au tournage, le réalisateur de *La Grande Illusion* ajouterait au passage sa *foreign touch*. Or Renoir n'est pas seulement réalisateur, il est auteur de film. Il propose d'adapter *Terre des hommes*, de Saint-Exupéry avec qui il s'est lié d'amitié sur le bateau qui l'amenait de France – ils partageaient la même cabine. Zanuck rejette l'idée. Le fossé se creuse. Jean est impatient de tourner son premier film américain. L'oisiveté ne lui sied pas, sa jambe blessée le fait souffrir.

Jean Renoir a sur place deux agents qui le conseillent et défendent ses intérêts. Les lettres qu'il leur adresse prouvent que, très vite, il comprend à quelles difficultés il va être confronté, des difficultés qu'il n'avait pas du tout envisagées. Il a quarante-six ans, il est conscient de la qualité de la vingtaine de films qu'il a réalisés. Zanuck, qui reconnaît la valeur exceptionnelle de Jean Renoir, souhaite trouver une solution. Après plusieurs propositions avortées, ils se mettent d'accord sur l'adaptation par Dudley Nichols, auteur de nombreux scénarios réalisés par John Ford,

D avid Selznick (à gauche), producteur d'*Autant en emporte le vent*, proposera à Renoir de tourner un *Jeanne d'Arc*, mais le projet n'aboutira pas.

❝La Fox attendait de moi non pas d'apporter mes méthodes personnelles, mais d'adopter les méthodes d'Hollywood. Je m'épuisais à répéter à Zanuck [à droite], le grand patron, que, si ce qu'il voulait de moi c'était des films comme il était habitué à les faire, il ne fallait pas s'adresser à moi. Hollywood regorgeait de talents. [...] Il me répondit qu'il comptait me confier l'exécution de sujets français. C'est précisément ce que je ne voulais pas [...], diriger des scènes avec sergents de ville, messieurs en

jaquette et portant une barbiche dans des décors de faux Montmartre.❞
Jean Renoir, *Ma vie...*

d'un feuilleton paru dans le *Saturday Evening Post*, *L'Etang tragique* (*Swamp Water*) : un homme accusé d'un crime qu'il n'a pas commis est découvert dans le repaire où il se cache depuis des années par un chasseur qui décide de prouver son innocence et de faire inculper les coupables. Ces derniers, démasqués, trouveront la mort, et le chasseur valeureux recevra en récompense l'amour de la fille du fugitif innocent. Une histoire simple, violente, qui se passe en Géorgie, dans la région des marécages d'Okefenokee.

Renoir devra se battre pour être envoyé rapidement dans ce pays qu'il ne connaît pas. Il est conquis par les paysages dramatiques, s'entend fort bien avec les habitants ; cependant, malgré son insistance, le film sera tourné presque entièrement en studio, suivant la tradition hollywoodienne. Durant le tournage, ses relations avec l'état-major de la 20th

❝ La réalité dans *Swamp Water* était d'une puissance telle qu'il eût été folie de la négliger. Cette réalité c'était le marécage d'Okefenokee, à cheval sur les territoires de la Floride et de la Géorgie. La transposition était inutile : aucun décorateur n'aurait pu transposer la réalité mieux que la nature ne l'avait fait ici. Zanuck ne voyait pas la nécessité de tourner sur les lieux mêmes de l'action. ❞

Jean Renoir,
Ma vie...

Century Fox sont difficiles. On le fait attendre puis on lui reproche d'être trop lent, d'avoir dépassé le budget. Il ne se pardonne pas de s'être laissé imposer de tourner en plusieurs plans une scène qui était d'abord un seul plan mobile, «suivant mon habitude de tourner en une seule prise de vues tous les éléments d'une situation». Bientôt, il s'aperçoit qu'il ne va pas participer au montage. Il a le sentiment qu'on le prive d'une partie essentielle de son travail et s'en explique avec Zanuck qui le laisse partir sans exiger de lui le second film prévu dans le contrat. *Swamp Water* finira par sortir et sera

Pour son premier film à Hollywood, Renoir confie les deux rôles principaux à des acteurs inconnus, Dana Andrews (sur la photo) et Ann Baxter. Zanuck aurait préféré des noms célèbres,

mais il s'était rendu aux raisons de son réalisateur à qui il semblait difficile de diriger, dans une langue qu'il ne maîtrisait pas, des vedettes qui avaient déjà leurs habitudes, leurs tics. Quant au lieu de tournage, en revanche, Renoir n'obtint pas gain de cause : «Nous reproduirons le marécage d'Okefenokee à Hollywood, écrit-il à son fils, parce que ça coûterait trop cher d'amener une troupe aussi loin et aussi parce que les studios n'ont pas été construits pour y enfiler des perles.»

plutôt bien accueilli par le public américain. En Géorgie, en Floride et dans d'autres Etats du Sud, le travail de cet étranger sera apprécié, non tant pour ses qualités techniques que pour l'image qu'il donne de leur pays.

Renoir américain

Curieusement, «être en avance» ne paie pas à Hollywood, où le temps des aventures est passé. Le cinéma se gère comme une grosse entreprise industrielle, on en écarte les risques, les innovations jugées dangereuses. Jean Renoir essaie de ne pas se décourager, mais ce monde du cinéma soumis au pouvoir de l'argent est totalement différent de celui de ses songes.

Durant ces années de guerre, de nombreux projets dont il est l'initiateur ou pour lesquels il est pressenti avortent : un film sur l'Allemagne nazie, *The Age of the Fish*, une version des *Bas-Fonds* qui se déroulerait à Los Angeles, une adaptation du roman de Mary Webb, *Sarn* (*Precious Bane*), avec Ingrid Bergman. Dudley Nichols lui propose *Sister Kenny*, un film sur une guérisseuse qu'ils iront voir à Minneapolis ; Louis Jouvet lui demande de tourner à Mexico.

En 1942, il travaille à une adaptation du roman de Steinbeck *The Moon is Down* (qui sera produite par la 20th Century Fox, sans sa participation) et commence le tournage pour Universal d'une comédie musicale avec Deanna Durbin, *The Amazing Mrs. Holliday* (il abandonne très vite, officiellement pour des raisons de santé). Plus tard, Simon Schiffrin, directeur du cinéma de la France Libre, envisage de lui faire tourner *L'Armée des ombres* de Joseph Kessel ; il y renoncera, comme il renoncera à la

Fritz Lang et Jean Renoir (photographiés ici dans les années 60) nouent aux Etats-Unis une longue amitié. Lang adaptera deux films de Renoir au goût de Hollywood : en 1945, *La Chienne* devient *Scarlet Street* et, dix ans plus tard, *La Bête humaine*, *Human Desire*.

Madame Bovary que lui propose Robert Hakim.
Pourtant, sa renommée est grande à Hollywood
où beaucoup d'Européens, chassés par les nazis,
se sont réfugiés.

    La rente de la Fox s'est envolée mais les difficultés
financières n'effraient pas Renoir qui doit trouver
du travail, changer de train de vie et déménager.
L'arrivée de son fils Alain, qui choisit de s'engager
dans l'armée américaine, détermine son propre choix.
«Une façon de remercier les Américains de leur
hospitalité», approuve Jean qui, en avril 1942,
demande sa naturalisation. Deux mois plus tard, il
commence les démarches pour obtenir son divorce
d'avec Catherine Hessling.

J ean et Dido se tiennent à l'écart des mondanités d'Hollywood, déclinant la plupart des nombreuses invitations que, très vite, ils reçoivent. Mais ils savent choisir leurs amis et faire des efforts pour les conquérir. Le dimanche soir, ils fréquentent le «Great Salon» de la scénariste Salka Viertel, où l'on partage le pain noir et la soupe aux lentilles. Ils y retrouvent Bertolt Brecht, Hans Eisler, Thomas Mann, Arnold Schönberg, Alma Mahler, Franz Werfel, Man Ray, et d'autres amis moins célèbres mais qui tous apprécient l'œuvre de Jean. Dans le cercle des proches, on retrouve Robert Flaherty, le réalisateur de *Nanouk l'Esquimau*, qui les a fait venir en Amérique, qui les a accueillis à New York et guidés ; Clifford Odets, dont plus tard Renoir adaptera la pièce *Le Grand Couteau*; ou encore le scénariste Dudley Nichols, «un chevalier [qui] ne tolérait pas l'injustice, de là ses conflits constants avec les "exécutifs"».

Les vrais héros sont modestes, Charles Laughton, l'instituteur amoureux de sa collègue Maureen O'Hara (ci-dessous) dans *Vivre libre*, en est la preuve. C'est «un parfait couard». Il a une peur bleue des nazis et fait tout pour passer inaperçu. Jusqu'au jour où il sauve la vie d'un résistant. Héros malgré lui, il sera fusillé. A gauche, la Libération de Paris, le 25 août 1944.

Expliquer l'Occupation

Parce que l'Occupation est mal perçue par les Américains, Renoir souhaite écrire, avec Dudley Nichols, un scénario qu'ils proposeront à Walter Wanger, producteur de John Ford, Fritz Lang et Alfred Hitchcock. En juillet 1942, ils signent avec la RKO un contrat spécifiant que Renoir sera maître de la direction d'acteurs, tandis que Dudley Nichols, cosignataire du scénario, écrira les dialogues. Le film s'intitulera *This Land is Mine* et Charles Laughton en sera l'interprète principal. Il n'est pas précisé que l'action se déroule en France, mais il est bien évident que c'est une histoire de l'Occupation.

Jean Renoir se préoccupe beaucoup de la façon dont ce film est reçu. Il a volontairement évité de couler le récit avec aisance, comme il le fait d'habitude; le développement de l'histoire se poursuit à travers une succession de vignettes. Sorti en même temps que d'autres films de guerre, *This Land is Mine* connaît un vif succès aux Etats-Unis, où il est aussi projeté dans des camps militaires. Il sera également très bien accueilli à Londres, au Portugal, en Afrique du Nord.

Après *This Land is Mine* (*Vivre libre*, 1943), tourné en studio, c'est Robert Hakim, associé avec un producteur indépendant, David Loew, qui lui propose de tourner en extérieurs naturels le roman d'un Texan, George Sessions Perry, *Hold Autumn in Your Hand*. Ce sera *L'Homme du Sud* (*The Southerner*), commencé en septembre 1944 et terminé en janvier 1945. Jean Renoir a écrit lui-même l'adaptation, aidé pour les dialogues par William Faulkner. L'histoire, tragique, est celle de la vie d'un jeune couple de paysans confrontés à la dureté d'un voisin et à celle de la nature hostile qui les réduit à la misère. Le film sort en avril 1945 et remporte un grand succès, dû en partie au fait que, jugé trop libéral, il est boycotté par le Ku Klux Klan, comme le fut *Les Raisins de la colère* de John Ford en 1940. Jean Renoir obtient le prix du meilleur réalisateur du National Board of

❝Ce qui me séduisit dans cette histoire est précisément le fait qu'elle n'est pas une histoire. C'est une série d'impressions fortes : l'immensité du paysage, la pureté des sentiments du héros, la chaleur, la faim.**❞**

Renoir, *Ma vie...*

D'un roman qui «n'est pas une histoire» (*Hold Autumn in Your Hand*), Renoir fait «une histoire où il n'y [a] que des héros» : *L'Homme du Sud* (ci-dessous). Le film est un succès en Europe et en Amérique. Par suite de difficultés de communication entre un journaliste et sa rédaction, *The Southerner*, de Jean Renoir, devint, dans le quotidien *Combat*, «*Le Souteneur*, de genre noir».

Review qui classe son film troisième pour l'année 1945. En 1946, *L'Homme du Sud* remporte le prix du meilleur film à la Biennale de Venise.

Depuis l'été 1944, la France est libérée. Jean Renoir, qui a épousé Dido Freire le 6 février 1944 alors que son divorce d'avec Catherine Hessling n'a pas été enregistré, est bigame aux yeux de la loi française et ne peut rentrer en France. Pourtant, dès le 24 février 1945, il écrit à son homme d'affaires parisien : «Moi je crève d'envie de rentrer en France car ce n'est pas à cinquante ans qu'on peut changer ses habitudes. De plus, notre pays aura peut-être

besoin de toutes ses énergies.» Le voilà donc déjà redevenu français ! Son attachement aux Etats-Unis est certainement grand, il a conscience que son fils s'y établira définitivement, mais il ne peut pas refouler plus longtemps tout ce qui l'attache à son passé et ces quelques phrases laissent percevoir les lourds regrets sans doute éprouvés pendant les années où la France était hors d'atteinte. Elle le demeure pour lui, mais il espère que l'exil cessera un jour.

L'esprit antibourgeois du *Journal d'une femme de chambre*, d'Octave Mirbeau, séduit Jean Renoir qui, en association avec l'acteur Burgess Meredith, l'adapte à l'écran. Le résultat choque le public des deux côtés de l'Atlantique pour la liberté prise autant avec la forme qu'avec l'histoire.

Du côté de Mirbeau

Au cours de l'année 1944, Jean Renoir avait participé à un moyen métrage, *Salut à la France* (*A Salute to France*), commandé par l'Office of War Information et le Bureau of Overseas Motion Pictures. A cette occasion, il s'était lié avec le comédien Burgess Meredith qui, comme lui, admirait *Le Journal d'une femme de chambre* d'Octave Mirbeau et voulait l'adapter à l'écran. Le tournage du *Journal* commence à la mi-juillet 1945, avec Paulette Goddard, alors épouse de Burgess Meredith, dans le rôle titre et Meredith dans celui du capitaine Mauger.

Dans le film, Joseph (Francis Lederer, au centre), le valet pervers, ne parvient pas à se rendre maître de Célestine, la femme de chambre (Paulette Goddard, à gauche). Il est vaincu par Georges, (Hurt Hatfield, page de gauche), l'héritier malade, qui a repris goût à la vie. La jeune femme libérée s'enfuit heureuse avec Georges.

Les compères ont beau avoir transformé
l'histoire pour ne pas malmener la morale aux
yeux des Américains, le scénario a effrayé la
RKO. Ils ont été obligés de fonder une petite
société de production, avec l'appui de l'agent
de Paulette Goddard qui les a aussi aidés à
trouver un studio et un distributeur.

Le film est trop étrange pour
plaire à un grand
public, américain
ou français. Situé dans
un décor artificiel qui
n'a rien à voir avec la
France du début du
siècle ou avec le réalisme
de Mirbeau, c'est une
sorte de drame
burlesque, audacieux par
le mélange de fantaisie
grinçante et
d'atmosphère
de western

Paulette Goddard (à
gauche) interprète
une femme de chambre
qui a tout pour séduire
l'héritier de la famille
– un rôle qu'elle a aimé
jouer. «Jean adorait
Paulette Goddard, et
nous nous sommes
tous beaucoup amusés
pendant le tournage»,
raconte Dido. Lui-
même écrit : «J'ai
repris ce projet parce
que j'avais très envie
de faire un film avec
Paulette Goddard ;
en réalité je cherchais
un rôle pour elle, et
j'ai pensé qu'elle serait
très bien dans
Célestine.» Joan
Bennett (ci-dessus
et à droite) est un
autre genre de
femme fatale. Elle
apporte à la fois le rêve
et la destruction. Le
titre The Desirable
Woman, attribué à
l'origine au film que
Renoir tourne avec
elle, lui convenait
parfaitement. Il a
pourtant été remplacé
par La Femme sur
la plage, moins
dérangeant.

Jean Renoir était plutôt satisfait de tourner avec Joan Bennett, l'actrice préférée de Fritz Lang, qui lui fait incarner «Lazy Legs », l'héroïne de sa *Scarlet Street*, d'après un scénario de Dudley Nichols. Le «manque complet de vanité» de Bennett lui plaisait. «Elle parle de ses faux cils, de trucs qu'elle se met dans la bouche pour faire paraître les dents plus régulières et plus brillantes, de sa perruque, voire même de son âge, avec une ironie amusée et un parfait manque de pudeur. Elle passe ses journées à tricoter et ça m'amusait toujours de penser que cette dame si popote est considérée par les ligues morales américaines comme la plus dangereuse femme fatale de l'écran.» Popote ou pas dans la vie, l'image qu'elle donne à l'écran, dirigée par Renoir, est d'un érotisme qui dérange et rendit perplexe les producteurs. «*La Femme sur la plage*, écrira plus tard Renoir, était une sorte de film d'avant-garde qui eût été à sa place un quart de siècle plus tôt entre *Nosferatu* le vampire et *Caligari*. Il n'eut aucun succès auprès des spectateurs américains.»

de série B qu'évoque le style des costumes et des constructions de carton-pâte des studios hollywoodiens. L'ensemble est à l'échelle des outrances de l'invraisemblable Mauger de Burgess Meredith. Le film est loin du moralisme recherché, pourtant il est classé parmi les dix meilleurs de l'année. Quinze ans plus tard, Jean Renoir déclarera dans une interview : «*Le Journal d'une femme de chambre* correspond à une de mes crises antiréalistes.»

Désir sur la plage

Ce film à peine terminé, la RKO renoue avec Jean Renoir et lui propose de tourner *The Desirable Woman*, d'après un *thriller* de Mitchell Wilson. Jean s'est lié d'amitié avec l'un des vice-présidents, directeur des studios, Charles Koemer. Il sait donc qu'on ne le harcèlera pas et Frank Davis, avec qui il écrit rapidement le scénario, lui laisse beaucoup de champ pour l'improvisation et le travail des acteurs sur le plateau. L'actrice Joan Bennett elle-même souhaitait voir Jean Renoir diriger ce film dont elle incarnera le rôle principal, un personnage qui éveille chez ses deux partenaires masculins le désir sexuel intégral.

Par son style elliptique et heurté, le film se rapproche du cinéma muet. On ne sait rien de précis de l'héroïne, une mystérieuse jeune femme qui ramasse du bois mort sur une plage du Pacifique. Les deux hommes sont évoqués en quelques plans qui laissent le spectateur fasciné : le mari, peintre renommé devenu aveugle par «accident», et l'homme rencontré sur la plage, un officier des garde-côtes traumatisé par la guerre et dont l'existence, jusqu'à cette rencontre, s'est refermée sur sa famille et sa jeune fiancée. Différents aspects de la vie quotidienne américaine sont admirablement évoqués par cet observateur venu d'un autre monde, bienveillant et cruel à la fois.

Pour les inconditionnels de Renoir, *La Femme sur la plage* éveille des souvenirs, ceux de la sortie de *La Règle du jeu*. Les Français de 1939 n'ont pas supporté ce film, les Américains de 1946 refuseront de se reconnaître dans cette peinture de leur violence incohérente, surgie de pulsions passionnelles refoulées par l'hypocrisie puritaine. Comme pour *La Règle du jeu*, la version initiale ne sera pas respectée. Mais cette fois, il ne s'agit pas seulement de coupures. Ne sachant trop que penser d'une telle œuvre, les représentants de la RKO décident de la projeter d'abord à Santa Barbara, devant des lycéens qui ne comprennent pas ce film extrêmement dépouillé, ces personnages trop éloignés d'eux. Le jugement des lycéens semble si rédhibitoire à Renoir et à la direction de la RKO qu'ils se mettent d'accord pour que quelqu'un d'autre ajoute des scènes ou

Dans la scène de la rencontre entre Scott Burnett (Robert Ryan), le lieutenant de garde-côtes, et «la femme sur la plage» (Joan Bennett), qui ramasse du bois, l'intensité des noirs souligne le caractère dramatique de la situation. Il ne peut savoir ni qui elle est, ni d'où elle vient, mais cette rencontre va bouleverser leur vie.

en coupe. Mais devant l'échec qui s'ensuit, la moitié du film est tournée de nouveau, avec l'accord et la participation de Jean Renoir. Le titre est alors changé pour *The Woman on the Beach*. Bien qu'aucun geste d'amour ne soit esquissé, ce film est sûrement le plus érotique et le plus mystérieux de l'œuvre de Renoir.

Hollywood demeure pour Jean un lieu magique, il en a tant rêvé dans sa jeunesse qu'il ne parvient pas à accepter la vérité : il n'intéresse plus les producteurs américains. Il ignore que *La Femme sur la plage* est sa dernière réalisation aux Etats-Unis.

"C'est l'aboutissement de ce que l'on n'ose appeler le second apprentissage de Renoir : toute virtuosité technique semble abolie, les mouvements d'appareil rares et brefs cèdent définitivement le haut de l'écran au raccord dans l'axe ou au classique champ-contre-champ. Désormais Renoir pose des faits, les uns après les autres, et la beauté naît ici de l'intransigeance ; il n'y a rien qu'une succession brute d'actes ; chaque plan est un événement. Si riches d'ornements qu'ils puissent paraître par rapport à cette épure, les films suivants la prendront tous pour armature, et mettront d'ailleurs leur coquetterie à la laisser clairement voir dans leurs temps forts. [...] S'il est un cinéma pur, il est d'abord dans *La Femme sur la plage*.**"**
Jacques Rivette
cité dans André Bazin
Jean Renoir

Les producteurs américains n'eurent pas pour ce film les yeux de Jacques Rivette. Jean Renoir raconte : «Zanuck qui s'y connaissait en metteurs en scène expliqua un jour mon cas à des gens de cinéma [...] : "Renoir, dit-il, a beaucoup de talent, mais il n'est pas des nôtres."»

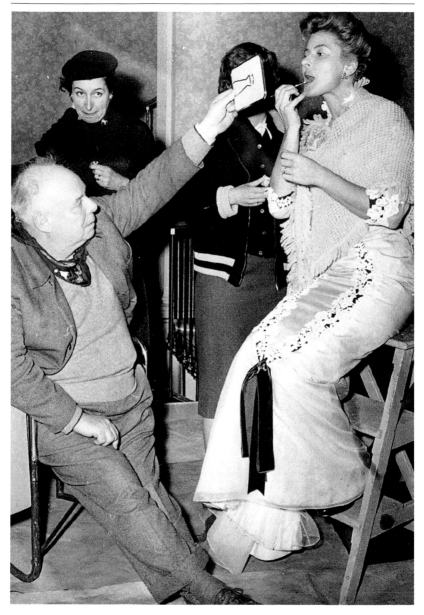

A Paris, on repasse les films de Renoir, qui obtiennent plus de succès qu'avant guerre. Dans les ciné-clubs, de jeunes futurs critiques et metteurs en scène ne se lassent pas de voir et revoir ses films et s'entendent pour proclamer, eux aussi, qu'il est le plus grand. On lui envoie toutes sortes de propositions qu'il doit refuser. L'impossibilité de retourner en France tourmente Jean.

CHAPITRE 4

RETOUR EN FRANCE

Au faîte de sa carrière, Renoir (à gauche, avec Ingrid Bergman pendant le tournage d'*Eléna et les hommes*), écrit son premier livre, le récit de la vie de son père, publié en 1962 (ci-contre). Cette double biographie révèle pourquoi Jean a poursuivi la réalisation du songe d'un homme hanté par le désir de bâtir une œuvre qui exprime avec ses images et ses mots à lui son expérience. Il le revendique : plus que réalisateur, il sera «auteur» de ses films.

Renoir est à l'aise en Amérique, la démesure qui caractérise ce pays ne le gêne pas, mais le cinéma dont on se contente ressemble de moins en moins à celui qu'il espérait trouver. A cause de la télévision, de la guerre, l'industrie cinématographique traverse une crise. Malgré cela, Jean rêve encore au grand film américain qu'il désirait tant faire. Lorsque, au printemps 1948, son ami Simenon lui fait cadeau des droits de *La Fuite de M. Monde*, il est persuadé qu'il en tient enfin le sujet. De plus, il se croit équipé pour travailler en toute liberté : avec quelques amis, il a fondé une coopérative, The Film Group, pour échapper aux grosses compagnies. Ils ont obtenu un accord avec un circuit de distribution et mis en place leur programme. Ils n'envisagent pas de produire plus de quatre films par an. Renoir se met au travail, il compte tourner *La Fuite de M. Monde* en août à Chicago et à New York. Mais la banque qui était d'accord pour financer les deux premiers longs métrages du Film Group revient sur sa décision. La coopérative se dissout, le projet est abandonné.

L es spectateurs se pressent devant le Paris Theater à New York, le 10 septembre 1951, pour la première publique de *The River* (*Le Fleuve*), que Renoir a tourné en Inde : «Quelques semaines aux Indes m'ont ramené à cette vérité essentielle que les hommes ne vivent pas dans le vide, que ce qui les entoure existe.»

E xilé aux Etats-Unis depuis 1945, Georges Simenon revient en Europe en 1955, à l'époque où sort le film de Renoir *French Cancan* (page de gauche, l'écrivain et le réalisateur entourent la jeune Françoise Arnoul, vedette du film). Une grande amitié liait le romancier belge à Renoir dont il appréciait l'esprit d'indépendance : «Je l'ai vu tourner plusieurs films. J'ai vu tourner beaucoup d'autres metteurs en scène. Aucun ne s'y prenait comme lui. Ce qui explique peut-être les démêlés qu'il devait avoir avec les pontifes d'Hollywood. L'indépendance de Jean Renoir l'empêchait souvent de travailler avec ce que l'on appelait les grands producteurs pour qui le metteur en scène n'était en somme qu'un des rouages du film et non le plus important.»

La route des Indes

Un autre projet le remplace. Deux ans plus tôt, Renoir a pris une option sur *The River*, un roman écrit par une Anglaise, Rumer Godden, qui se passe en Inde. Jean Renoir a été retenu par le fait que la narratrice, une jeune fille, perçoit ce qui l'entoure avec des yeux d'étrangère. Il sait bien qu'il ne pourra montrer cette autre civilisation que de l'extérieur. Il déteste le tourisme et souhaite «apprendre l'Inde», mais il n'a pas d'argent !

Son option sur le roman est périmée quand un des anciens associés du Film Group lui fait rencontrer un fleuriste de Hollywood, Kenneth McEldowney, prêt à fournir les fonds nécessaires pour aller en Inde tourner un film où il n'y aura ni éléphant, ni chasse aux tigres, ni maharadjah. Fin janvier 1949, il part pour l'Inde où il séjourne deux mois, fasciné par ses découvertes.

Puis il fait venir Rumer Godden à Los Angeles pour travailler avec elle le scénario.

Le Fleuve sera son premier film en Technicolor. Le tournage, commencé seulement le 29 décembre 1949, se termine en avril 1950, mais le montage définitif ne sera prêt qu'en mai 1951 – il faut vérifier les tirages couleurs faits à Londres. Documentaire pour certains critiques, évocation superficielle d'un pays pour d'autres, le film remporte un grand succès auprès du public à sa sortie en septembre 1951 à New York et pour Noël à Paris. La même année, il reçoit le premier prix international à la Biennale de Venise.

Pour la Magnani

Jean, désormais, est libre de retourner en France : le 15 juin 1949, la cour d'appel de Paris a converti la séparation de corps avec Catherine Hessling en

Janvier 1952, un numéro spécial des *Cahiers du cinéma* est dédié à Jean Renoir. Les critiques de la revue, dont les futurs auteurs de la Nouvelle Vague, consacrent ainsi le réalisateur qu'ils considèrent comme un de leurs «pères». Lui-même écrit dans cette revue : «Aujourd'hui, l'être nouveau que je suis réalise que le temps n'est plus pour le sarcasme et que la seule chose que je puisse apporter à cet univers illogique, irresponsable et cruel c'est "mon amour".» A gauche, Adrienne Corri, l'une des petites Anglaises amoureuses du jeune

Américain (Thomas Breen, à son côté), qui vient troubler la paix d'une famille anglaise des Indes dans *Le Fleuve*.

divorce. En Inde, il a reçu de nouvelles propositions tentantes : tourner *L'Etranger* de Camus avec Gérard Philipe et *La Folle de Chaillot* de Giraudoux avec Louis Jouvet et Martita Hunt, en version française et anglaise. Le 8 mai 1951, il débarque au Havre, avec le scénario d'un drame, *Christine*, qui se déroule en France parmi des Américains et qu'il souhaite

tourner avec Lena Horne. Il n'aura pas le temps de prendre les contacts nécessaires pour trouver des commanditaires français : des producteurs italiens lui proposent un film avec Anna Magnani, une adaptation du *Carrosse du Saint-Sacrement* de Prosper Mérimée. Pour Jean Renoir, la Magnani ne sera pas la Périchole, elle sera Camilla, la vedette d'une troupe itinérante de commedia dell'arte, une «belle étrangère» sauvage et combien talentueuse ! Ce sera *Le Carrosse d'or*.

En Europe, des amis ont disparu, d'autres se sont écartés, ne lui pardonnant ni son exil ni sa

Après avoir sollicité Luchino Visconti, qui a d'autres engagements, des producteurs italiens proposent à Renoir de tourner un film avec Anna Magnani. Jean avait autrefois rêvé d'adapter *Le Carrosse du Saint-Sacrement*, de Prosper Mérimée. A présent, ce n'est pas la pièce qui le tente, c'est tourner avec «la» Magnani, réputée indocile. Simenon évoque le tournage.

❝J'ai vu [Renoir] tourner avec des acteurs peu commodes comme Gabin et surtout la Magnani qui n'était pas facile à diriger [...]. Je me souviens d'une scène où elle devait traverser un salon, prononcer trois phrases, et revenir vers la caméra. Dix fois, quinze fois, la Magnani butait sur le même mot ou se trompait de trajectoire. Chaque fois, cependant, il lui disait gentiment : "Très bien, Anna. As-tu envie de recommencer ?" Et ils recommençaient à l'infini. "Cette fois, ça y est. Pour moi, c'est parfait. Mais si toi tu n'es pas tout à fait contente, je veux bien refaire encore une fois ce passage. C'est ainsi qu'il a littéralement dompté celle dont les colères effrayaient tant de metteurs en scène.❞
Georges Simenon

naturalisation. Renoir se lie d'amitié avec André Bazin qui a voué sa vie au cinéma et commencé à écrire des analyses mémorables de ses films, ou Ginette Doynel, qui collaborera à l'adaptation de la pièce de Mérimée et deviendra sa personne de confiance. Pendant le repérage du film, en Italie, il est victime d'un accident, qui fait craindre l'amputation pour sa jambe blessée. Transporté à Paris, il mettra longtemps à se remettre.

Tourné en anglais et en Technicolor à Rome, le film traite du spectacle dans le spectacle : les situations des acteurs-acteurs de la troupe, acteurs-courtisans-et-autres et acteurs-public de la commedia dell'arte s'enchevêtrent, créant ce «jeu des boîtes» auquel un jeune critique nommé François Truffaut a comparé Le Carrosse d'or. Il est boudé par le grand public et souvent aussi incompris par la critique.

Nouveau sommet de l'œuvre de Renoir, ce film célèbre à la fois son amour pour le théâtre et ses retrouvailles avec l'Europe. Il empêche d'oublier que Jean, comme Camilla, n'est pas fait pour «ce qu'on appelle la vie»; et que, de même qu'elle ne trouve son bonheur que sur une scène, lui ne trouve le sien que sur le lieu de tournage, parmi les acteurs, les techniciens.

❝ *Le Carrosse d'or* est [...] le film le plus noble et le plus raffiné jamais tourné. On y trouve toute la spontanéité et l'invention du Renoir d'avant-guerre jointes à la rigueur du Renoir américain. C'est un film tout de gestes et d'attitudes. [...] Anna Magnani est l'admirable vedette de ce film élégant où la couleur, le rythme, le montage et les acteurs sont à la mesure d'une bande sonore dans laquelle Vivaldi se taille la part du lion. *Le Carrosse d'or* est d'une beauté absolue mais la beauté est son sujet profond. ❞
François Truffaut

En décembre 1952, Renoir retourne en Californie avec Dido. L'atmosphère a changé. La crise du cinéma s'accentue, renforcée par la «chasse aux sorcières» déclenchée en 1950 et qui doit «délivrer» Hollywood de tous les écrivains, réalisateurs, acteurs, musiciens, techniciens soupçonnés d'être «rouges». A présent, Jean sait qu'il ne tournera plus rien à Hollywood. Dido insiste pour qu'il écrive un livre sur son père. En octobre 1953, Dido et Jean s'envolent pour Paris. Ils s'installent avenue Frochot, à Montmartre, un lieu plein de souvenirs qu'il raconte à ses jeunes amis. Les «interviewers» des *Cahiers du cinéma*, Jacques Rivette, François Truffaut, ne demandent qu'à dialoguer avec lui. Bavard, Jean trouve enfin un vrai public. Il a une présence étonnante, une facilité d'élocution éblouissante et manie l'anecdote, la drôlerie de façon telle qu'on ne se lasse pas de le voir paraître à la télévision ou de l'entendre à la radio.

A partir de 1973, après le tournage de *La Nuit américaine* (ci-dessous) prit l'habitude d'aller voir Dido et Jean Renoir à la fin de chacun de ses films. En 1978, Renoir lui écrit : «Je suis un privilégié. Mes parents étaient des gens très bien, la nature m'avait doué d'une robuste santé. Et maintenant que j'arrive à la fin du voyage, vous apparaissez. Il y a quelque chose de féerique dans nos relations.» Ci-dessous, à Paris, un cinéma d'art et d'essai consacre l'«auteur».

Un hymne au spectacle

Jean Renoir n'a pas travaillé en France depuis 1939 lorsque, en 1954, il entreprend *French Cancan*, un hommage au Montmartre 1900, à la vie des caf'conc' qui l'émerveillait, à l'amour du métier d'artiste. Il retrouve Jean Gabin, à qui il donne le rôle d'un séducteur plus très jeune qui a lancé des étoiles du caf'conc', amant d'une nouvelle «belle étrangère», Maria Felix, et qui transforme en danseuse de cancan une exquise petite blanchisseuse à la grâce d'un

Renoir, Françoise Arnoul. «*French Cancan* est un retour aux sources, le plus bel hommage sur le tombeau d'Auguste Renoir, un tourbillon, un hymne, une apothéose», selon André Bazin.

French Cancan signe les retrouvailles de Renoir avec Gabin qu'il n'a pas revu depuis une quinzaine d'années. Gabin, qui s'était engagé dans les Forces françaises libres durant la guerre, ne manifestait nulle hâte de revoir le réalisateur resté en Californie durant les hostilités; mais le charme de Renoir et son talent pour diriger son comédien préféré les rapprochèrent (ci-dessous, Gabin courtise Maria Félix, la «Belle Abbesse»). Tourné dans le Montmartre fin de siècle, le film est aussi un hommage à l'œuvre de son père (à droite, *Le Moulin de la Galette* de Pierre-Auguste Renoir et une scène de bal de *French Cancan*).

Depuis son retour en Europe, Renoir rêve de théâtre. Plus que jamais, il a le sentiment d'appartenir à cette race d'«artistes», comme on disait dans son enfance, un peu saltimbanque, un peu funambule. Il écrit sa première pièce de théâtre, *Orvet*, qu'il dirigera lui-même, en

Dans les arènes d'Arles, Renoir prépare la mise en scène de *Jules César*, de Shakespeare.

pensant à Leslie Caron pour jouer sa «sauvageonne». Cette nouvelle méditation féerique connaît un accueil réservé de la part de la critique; le public l'apprécie davantage. Le 10 juillet 1954, il a mis en scène, dans les arènes d'Arles, *Jules César* de Shakespeare, pour une seule représentation destinée à commémorer le deuxième millénaire de la fondation de la ville. Une véritable gageure qui remporte un triomphe, inoubliable pour les acteurs autant que pour les spectateurs.

Pour Leslie Caron, (à gauche), dont il aime «l'espèce d'innocence roublarde», Renoir écrit *Orvet*.

Eléna et Ingrid

Après le succès de *French Cancan*, Renoir signe un contrat pour *Eléna et les hommes*, un film qui devra être tourné à Paris simultanément en version anglaise et en version française, avec Ingrid Bergman, Mel Ferrer et Jean Marais. Ingrid Bergman incarne une Vénus qui «ne sait pas vous dire bonjour sans qu'on ait l'impression qu'elle se donne tout entière, et elle se donne tout entière», écrit Renoir. Ce film qui devait emprunter certains traits à l'histoire du général Boulanger, alors toujours vivante dans la mémoire française, est finalement conçu à la gloire de la beauté très humaine de l'actrice que Hollywood a rejetée à cause de sa liaison avec Rossellini. Une comtesse polonaise, aussi bonne qu'excentrique, est persuadée de son pouvoir d'aider les hommes à réussir. Son entourage compte un compositeur dénué de talent, un général que le gouvernement

Une nouvelle «belle étrangère», Ingrid Bergman, ravit Renoir qui lui bâtit un scénario : ce sera *Eléna et les hommes*. Ci-dessous, le réalisateur et son actrice pendant le tournage en 1956, face au portrait de Jean Marais, l'un des «hommes» d'Eléna, et à côté d'un autre de ses admirateurs, Mel Ferrer (à droite).

Jean ★Renoir's Paris Does Strange Things

soupçonne de vouloir fomenter une révolte, un industriel dont la réussite n'est plus à faire et un beau vicomte qui, finalement, la consolera quand le général préfère s'enfuir avec sa maîtresse plutôt que d'accéder au triomphe promis par Eléna.

A sa sortie sur les écrans parisiens, en septembre 1956, le film est accueilli diversement. Les «renoiriens» sont aux anges, les «antirenoiriens» commencent à tirer à boulets rouges. Porté au pinacle par les uns, il est cloué au pilori par les autres. Et la version américaine est, elle, totalement gâchée. Elle a été remontée, on y a ajouté un début et une fin explicatifs. Le titre est lui aussi changé pour devenir *Paris Does Strange Things* (*Paris fait d'étranges choses*). Ce «massacre» rend Jean malade. Ce qui ne l'empêche pas d'écrire une nouvelle pièce de théâtre, *Carola et les cabotins*, qu'il destine à Danielle Darrieux et à Paul Meurisse. Elle sera montée, dirigée

❝*Eléna et les hommes*, tourné en 1956, du point de vue des extérieurs s'appuie sur des images d'Epinal. L'action, dans ce film d'apparence artificiel, s'accommoderait mal de décors réalistes. Les rouges et les bleus s'y affrontent sans transition. Claude Renoir a tourné quelques plans de paysages orageux qui nous ramènent directement vers l'imagerie pour enfants. Ingrid Bergman, qui jouait le rôle principal, s'en tira avec son génie habituel et réussit à donner un personnage aussi invraisemblable que les décors.❞

Jean Renoir
Ma vie...

par Norman Lloyd, en 1973, pour la télévision américaine, avec Leslie Caron et Mel Ferrer.

En octobre 1957, Renoir adapte et met en scène à Paris *Le Grand Couteau*, de son ami Clifford Odets, dont Robert Aldrich a déjà tiré un film dévastateur.

Grand et petit écran

Jean Renoir pense que le moment est venu d'utiliser la télévision qui s'est développée tardivement en France : le nombre des récepteurs est passé de 60 000 en 1954 à 680 000 en 1958. Jamais à court d'idées, il prépare deux projets à la fois, profitant des techniques apprises au théâtre. Comme sur une scène, avec des micros disséminés sur le plateau, il tourne avec quatre ou cinq caméras (il ira jusqu'à huit) non plus des plans mais des scènes entières filmées d'un bout à l'autre. Autre exploit : il réussit à persuader la télévision française de la nécessité de tenter une coproduction télévision-cinéma avec un film qui sortira simultanément sur le petit écran et en salle. Pathé, distributeur présumé, avancera l'argent.

«Paris fait d'étranges choses» aussi pour Jean Renoir. Envoûté par l'atmosphère de travail dur et joyeux qui régnait dans la salle où répétaient les ballerines quand il préparait *French Cancan*, Renoir s'est laissé convaincre d'écrire et de diriger un ballet, intitulé *Le Feu aux poudres*, pour Ludmilla Tcherina (ci-dessous). Alors qu'il était malade, cette dernière se permit de changer, sans le prévenir, la chorégraphie et le décor. Il se libéra et obtint que son nom ne figure pas au programme ; son ami Castanier, le décorateur, intenta un procès à Ludmilla Tcherina.

Paris vu par Renoir

Après une si longue absence, le Paris de Jean Renoir ressemble davantage à celui de ses souvenirs qu'à celui qu'il a retrouvé. Avant la guerre, il avait écrit qu'il «devait y avoir une époque cinématographique, comme il y a une époque commedia dell'arte et que cette époque devait être la deuxième moitié du XIXᵉ siècle»; il fallait «faire tous nos films en costumes d'une époque film». Il met en scène, dans *Eléna et les hommes*, le Paris d'une élégance disparue (ci-contre); et dans *French Cancan* (page suivante), le Paris qui s'amuse au rythme endiablé des joyeuses danseuses.

Par amour de la danse

" Le sujet de *French Cancan* est résolument enfantin et aussi peu surprenant que celui d'un western. Je me sens de plus en plus attiré par ce genre d'histoires, des histoires assez faibles pour me laisser libre de m'amuser à faire du cinématographe. Sans être très fort en grec, je sais que ça consiste à inscrire des mouvements. Les mouvements que j'aime ne sont pas nécessairement produits par des chevaux galopant ou des automobiles roulant dans des ravins. [...] Vers 1870, un groupe de jeunes gens, qu'on a appelé depuis les impressionnistes, avait cru libérer l'art de toute trace de littérature. Après cinquante ans d'efforts, ils avaient amené le public à considérer que, dans un tableau ou dans un morceau de musique, le sujet était secondaire. Je me souviens d'une grande colère de mon père à propos d'un de ses tableaux représentant une jeune fille baissant la tête et qu'un marchand avait cru commercial d'intituler *La Pensée*. Furieux, Renoir proclama : «Dans mes tableaux on ne pense pas.» **"**

Jean Renoir,
Ecrits

Le premier projet télévisuel qu'il réalise est une adaptation moderne du roman de R. L. Stevenson, *Dr Jekyll and Mr Hyde* : *Le Testament du Dr Cordelier*, avec Jean-Louis Barrault dans le rôle du distingué docteur Cordelier et de son double repoussant, Opale. Le fossé se creuse entre thuriféraires et contempteurs : Renoir est-il plus jeune et plus génial que jamais ou tout simplement sénile et fini ? Continuer à expérimenter, à soixante-cinq ans, en 1959, n'était à l'évidence pas simple.

Dans la foulée, Renoir réalise aux Collettes le second film conçu à la fois pour la télévision et le grand écran, *Le Déjeuner sur l'herbe*. Thèmes neufs et déconcertants que les étudiants d'aujourd'hui apprécient davantage que le public d'alors. L'histoire est celle d'un biologiste imbu de ses travaux sur l'insémination artificielle qui brigue la présidence des Etats-Unis d'Europe. L'apparition inopinée d'une jeune paysanne belle comme une déesse bouleverse ses plans, annihile ses ambitions.

Jean Renoir sait que son œuvre, acclamée par ses amis des *Cahiers du cinéma*, a aussi des détracteurs qui l'accusent d'avoir vieilli. Il ne se laisse pas impressionner et décide de continuer de tenter des expériences nouvelles. Séduit par la télévision, qui prend son essor en France, il se bat pour réaliser *Le Testament du Dr Cordelier*, le premier film tourné pour la télévision et le cinéma, «un film expérimental qui résulta de mon

travail au théâtre». Jean-Louis Barrault, interprète le rôle d'Opale (ci-contre) et celui du Dr Cordelier. Le réalisateur a exigé que la sortie en salle et la projection à la télévision se fassent le même jour.

Dans une nature luxuriante, il n'est plus question que d'écologie et d'amour. Le savant va apprendre la simplicité. Il deviendra père – de façon très naturelle – et sa jolie compagne sera présidente des Etats-Unis d'Europe. Pour *Le Déjeuner* comme pour *Cordelier*, il

Le Déjeuner sur l'herbe, autre film conçu pour le grand et le petit écran, ne sera pas mieux compris que *Cordelier*. Jean l'a tourné aux Collettes, la propriété de son enfance. «Ainsi je connus l'immense joie de mettre sur la pellicule les oliviers que mon père avait peints si souvent. Ce film fut comme un bain de pureté et d'optimisme. Pendant le tournage, nous nous croyions tous transformés en faunes et en nymphes. Catherine Rouvel y fit ses débuts et Paul Meurisse apporta son autorité à un rôle froidement comique.» Paul Meurisse incarne le biologiste dont la vie sera bouleversée par la beauté de la paysanne Nénette, Catherine Rouvel (ci-contre).

fallait laisser le temps aux choses, aux hommes et aux films de se mettre en place et en perspective.

Ecrire, faute de tourner

Renoir commence alors à écrire un livre sur son père. Il a, au cours des années californiennes, accumulé de nombreux enregistrements de dialogues avec Gabrielle Renard, réfugiée aux Etats-Unis avec son mari américain et leur fils pendant la guerre et devenue son amie la plus proche. «Elle m'a appris à voir les visages à travers les masques, à dépister les lâchetés derrière les redondances. Elle m'a donné l'horreur des clichés.» Le livre dont la première édition s'intitule *Renoir*

par Jean Renoir paraît en 1962. En Amérique, *Renoir, my Father* restera sur la liste des best-sellers pendant plusieurs semaines.

Jean Renoir fait des allers et retours fréquents entre les deux continents. Au printemps 1961, il est invité sur le campus de Berkeley, en Californie. Le contact avec les étudiants fascinés réveille son enthousiasme. Il est en grande forme et n'a pas l'intention de s'arrêter de filmer. Il rêve de porter à l'écran *Yladjali*, d'après *La Faim*, du romancier norvégien Knut Hamsun, avec Oskar Werner, sous la forme d'une coproduction franco-scandinave. A son grand regret, le projet n'aboutira pas.

On lui propose alors de reprendre *Le Caporal épinglé*, d'après un roman de Jacques Perret qui relate les tentatives d'évasion d'un

Jean et Dido se sont installés à Beverly Hills. Jean vient souvent en Europe et, dans les premières années, jusqu'en 1961, Dido l'accompagne la plupart du temps (à gauche). Malgré les louanges, le réalisateur n'a guère d'occasions de travailler et ne trouve pas d'argent pour ses projets. Loin de Paris, il se résigne plus facilement. En 1968, Dido l'accompagne au festival de Venise, où dix-sept de ses films sont présentés ; il y reçoit une médaille.

groupe de prisonniers en 1940. Il tourne en extérieurs et en studio à Vienne durant l'hiver 1961-1962 avec de jeunes comédiens, Jean-Pierre Cassel, Claude Brasseur, Claude Rich, etc. Très librement adapté du roman, laissant de côté une partie du livre qui se passe à Berlin, le film est une série de vignettes en noir et blanc qui renoue avec la veine de *Tire-au-flanc* et retrouve les accents de *La Grande Illusion*. Mais Renoir n'en garde pas un bon souvenir. On a supprimé les bandes d'actualités qu'il avait incorporées afin de situer le contexte historique.

Jean Renoir est découragé, soudain las. Ses projets pour tourner avec des comédiennes qu'il aime – Jeanne Moreau, Simone Signoret, Leslie Caron – sont rejetés. Son âge effraie les producteurs. Plusieurs fois, il retourne à Paris pour tenter sa chance, il rentre toujours les mains vides. Dido continue de le pousser à écrire. En 1966, il publie son premier roman, *Les Cahiers du capitaine Georges*.

Le Caporal épinglé devait être mis en scène par Guy Lefranc, un jeune réalisateur qui avait filmé *Knock* avec Jouvet, mais son adaptation fut refusée et le projet fut confié à Renoir, Lefranc étant son assistant. On retrouve dans ce film le thème de l'amitié qui naît entre des hommes soumis au même sort (ci-dessous, Claude Brasseur, Claude Rich, Mario David, Jean Carmet et Jean-Pierre Cassel). Page suivante, Renoir posant devant une maquette du décor de son *Petit Théâtre*.

A Paris, en février 1968, Renoir participe aux manifestations contre le renvoi de la cinémathèque d'Henri Langlois, son créateur. Il est nommé président d'honneur du Comité de défense de la Cinémathèque française. Il fera encore plusieurs voyages entre Paris et Beverly Hills cette année-là, pour présenter ses films. On organise ici et là des rétrospectives. Ici et là, les jeunes cinéastes et les étudiants ne lui ménagent pas leur admiration.

La fin des songes

Jean tourne *Le Petit Théâtre de Jean Renoir* à l'automne 1969. Ce raconteur d'histoires commente lui-même, devant une petite maquette de théâtre, les quatre sketches qui sont liés au reste de son œuvre et à sa vie, le spectacle de ses songes. Le premier, *Le Dernier Réveillon* rappelle *La Petite Marchande d'allumettes* de sa jeunesse et la beauté de Catherine Hessling. Mais c'est un vieux couple, un couple de pauvres qui va s'endormir pour toujours dans la neige après un dernier rêve de bonheur. *La Cireuse électrique* évoque le souvenir de son grand-père maternel s'enfuyant jusqu'en Amérique pour oublier sa femme obstinément vouée au ménage. Le troisième épisode est la célèbre valse, *Quand l'amour meurt*, chantée devant une toile peinte par Jeanne Moreau portant une robe 1900. La chanson rappelle à Jean celle que chantait Marlène Dietrich à New York pendant la guerre. Le dernier sketch, *Le Roi d'Yvetot* se déroule dans le Midi et raconte l'histoire d'un ménage à trois. Françoise Arnoul, la Nini de *French Cancan*, incarne l'épouse trop jeune d'un aimable vieillard (Fernand Sardou) qui se laisse consoler par un homme de son âge (Jean Carmet), au grand scandale des villageois. Le mari, bienveillant et sage, prend le parti d'en rire. Gagné par sa bonne humeur, le village s'apaise et tout rentre dans l'ordre.

«Je suis avant tout un raconteur d'histoires»

Le Petit Théâtre de Jean Renoir est un adieu pathétique à un art que Renoir a pratiqué avec génie. La forme de ces «sketches» est encore pleine d'audace et d'une invention exemplaire. Le film ne trouve pas davantage de public en France en 1975 qu'aux Etats-Unis en 1972. Mais Jean Renoir n'est pas déçu. Il est dans ses habitudes de ne pas s'intéresser à un film achevé et de regarder vers l'avenir. De même qu'il s'est battu – en vain – pour réaliser *C'est la Révolution* (1965-1966), il se bat encore en 1968-1969 pour réaliser *Julienne et son amour*, l'un des deux longs métrages auxquels il songe toujours, avec Jeanne Moreau pour héroïne. Puis il finit par comprendre qu'il ne tournera plus jamais.

De cette blessure-là, Jean Renoir ne se remettra pas. Il survivra une dizaine d'années, écrivant, sans jamais rentrer en France. Ce travail solitaire de l'écrivain auquel il doit se résoudre révèle Renoir, l'homme du XIXᵉ siècle qu'il sait être. *Julienne et son amour*, comme *Les Cahiers du capitaine Georges*, raconte la triste et pathétique histoire d'une jeune femme pauvre ou prostituée, séduite par un homme riche, jeune, pour qui elle est un objet dont il use à sa convenance. La mort de la jeune femme est la

Jeanne Moreau, que Renoir a vu en 1968 dans le film de son ami Orson Welles, *Une histoire immortelle*, ne jouera que dans un seul de ses films : *Le Petit Théâtre de Jean Renoir* (ci-dessus, elle chante dans un long plan fixe tourné devant une toile de caf'conc'). Le réalisateur avait conçu plusieurs projets pour l'actrice qu'il admirait plus que toutes les autres : «Je voudrais bien faire quelque chose d'inattendu pour elle.» En 1968, dans une interview qu'il donne avant de partir pour Venise, Renoir parle encore d'un projet : *Julienne et son amour*, qu'il destine à Jeanne et qu'il aimerait traiter «à la manière de Bonnard et de Debussy». Mais y croit-il encore ?

preuve de son amour pour cet amant qui ne sait pas aimer. L'amour fatal aux femmes, leur «faute», la légèreté coupable de ces jeunes hommes riches, leur égoïsme inconscient, tout rappelle cet officier de cavalerie que Jean fut parce qu'il ne savait quoi faire d'autre, fantasme dont on le croyait délivré depuis *La Grande Illusion*. Sans doute y a-t-il là aussi les réminiscences des mélodrames qu'enfant il allait voir avec Gabrielle au théâtre Montmartre. Dans la tête du vieil homme désenchanté, réalité et fiction se mêlent. Ces récits, bâtis comme des découpages de film, sont conduits avec rigueur jusqu'à leur funeste dénouement. Ils se situent toujours dans un passé qu'il a connu, l'avant-guerre de 1914.

À Beverly Hills, soutenu par sa femme Dido, Renoir continue d'écrire – pour ne pas décevoir Dido, pour vaincre l'angoisse de la mort qui a déjà emporté nombre de ses amis. Il invente des personnages, des intrigues. Il publiera ainsi trois récits d'imagination *Le Cœur à l'aise*, *Le Crime de l'Anglais* et *Geneviève*.

Renoir est de plus en plus prisonnier de son corps. La maladie de Parkinson et sa jambe dont on ne parvient pas à guérir l'infection l'empêchent de bouger. Parfois il éclate : «Les gens me croient mort !», mais le plus souvent il se résigne et, comme son père, essaie de paraître toujours gai. Pourtant, en juin 1971 déjà, il refuse un projet qui devait sûrement lui plaire : une série d'interviews sur la mise en scène qu'Orson Welles lui propose de tourner. Il avoue être trop malade.

En 1974, à quatre-vingts ans, cinq ans avant sa mort, il publie un volume de mémoires, *Ma vie et mes films*, où il se raconte avec talent et humour. Pour continuer de jouer le jeu, il faut continuer d'écrire, régulièrement, chaque jour. Jusqu'à son dernier jour il écrira, cet «amateur» qui, de même que son père, ne savait pas rester oisif.

TÉMOIGNAGES
ET DOCUMENTS

Renoir écrivain et homme du XIXᵉ siècle

Jean Renoir écrivait en épigraphe à son premier livre,
Pierre-Auguste Renoir, mon père *: « LE LECTEUR –.
Ça n'est pas Renoir que vous nous présentez, c'est
votre propre conception de Renoir. L'AUTEUR –. Bien sûr.
L'histoire est un genre essentiellement subjectif. » Des
souvenirs de la vie de son père aux* Cahiers du capitaine
Georges, *Renoir affirme sa subjectivité dans le regard
qu'il porte sur une société bouleversée par la Première
Guerre mondiale.*

Renoir père vu par son fils

Je pense au destin qui plaça Renoir
à cheval sur deux phases absolument
différentes de l'histoire du monde.
Evidemment, les chemins de fer
existaient, mais ils couvraient seulement
de courtes distances, et beaucoup de gens
s'en méfiaient. On parlait beaucoup de
la terrible catastrophe de la ligne Paris-
Versailles qui avait fait tant de victimes,
parmi lesquelles le fameux Dumont-
d'Urville. On considérait comme un

avertissement le fait que ce navigateur
avait pu sans dommage parcourir
en bateau les océans les plus lointains,
découvrir des terres inconnues, vivre
avec des anthropophages et qu'il lui
avait suffi de commettre l'imprudence
de monter dans un train pour périr
carbonisé. On accusait la fumée des
locomotives de nuire à certaines cultures
et même d'empêcher les pommes
de terre de pousser.

Les grandes découvertes, celles qui
devaient transformer le monde, étaient
faites ; on fondait le métal dans les hauts
fourneaux, on extrayait le charbon de
mines souterraines, on tissait les étoffes
mécaniquement ; mais sauf en
Angleterre, où les choses étaient plus
avancées, la révolution industrielle
n'avait pas encore transformé le monde.
Le paysan des environs de Limoges,
à part quelques détails de costume et
d'outillage, travaillait sa terre à peu près
de la même manière que son ancêtre
du temps de Vercingétorix. Paris avait

Renoir fait revivre le Paris de son père (en haut
à droite) dans *French Cancan* (ci-contre), 1954.

1 200 000 habitants ; on s'éclairait avec des lampes à huile ; pour boire ou se laver on comptait sur le porteur d'eau ; les pauvres allaient à la fontaine. Le télégraphe électrique venait d'être adopté, mais était encore limité à un usage presque expérimental. On se chauffait en allumant des feux de bois dans les cheminées. Ces cheminées étaient ramonées par des petits Savoyards qui grimpaient directement dans le conduit, portaient un vieux chapeau haut de forme et élevaient une marmotte. […] Il n'y avait pas de phonographes ; les gens riches qui aimaient la musique étaient obligés d'aller au concert ; ils pouvaient aussi apprendre le piano ; les pauvres jouaient de la flûte à un sou ; ils chantaient les chansons de Béranger. L'été aux portes de Paris, dans les guinguettes, le peuple dansait sous les charmilles ; il devait se contenter d'un orchestre en chair et en os ; le cancan était la danse des faubourgs ; les riches venaient de découvrir la valse à deux temps ; l'église regardait cette nouveauté d'un mauvais œil. La moyenne de vie en France était de trente-cinq ans ; malgré les massacres napoléoniens, la France dépassait en population les autres nations occidentales. Alger avait été pris quinze ans avant ; le duc d'Aumale était adoré des Arabes. Alexandre Dumas remportait un triomphe à la Porte-Saint-Martin avec son *Napoléon* ; ce théâtre occupait, en plus de l'emplacement actuel, celui de la Renaissance et pouvait contenir quatre mille spectateurs ; la représentation de *Napoléon* durait trois soirées de suite. Le cinéma n'existait pas ; la radio et la télévision non plus. La photographie n'existait pas. Le bourgeois qui voulait son portrait s'adressait à un peintre et aussi le boutiquier qui désirait orner son salon d'une représentation de sa boutique.

Tel était l'état du monde lorsque en 1845 mon père débarqua de la diligence de Limoges.

Il mourut en 1919. Quatre ans auparavant j'avais passé mon brevet de pilote dans l'aviation. Nous avions connu les canonnades de la grosse Bertha, les bombardements aériens, les gaz asphyxiants. La campagne avait commencé à se vider au profit des villes ; les faubourgs de Paris étaient déjà devenus l'horreur que nous connaissons. Les ouvriers travaillaient en usine. Les légumes consommés à Paris venaient du Midi, voire d'Algérie. Nous avions une automobile ; mon père trouvait très normal de s'en servir pour aller de Nice à Paris ; ce voyage durait deux jours. Renoir avait le téléphone. Il avait été opéré et anesthésié. Les Français étaient passionnés de football. Les guinguettes étaient remplacées par des « dancings ». La révolution communiste avait eu lieu. L'antisémitisme existait. Nous avions un phonographe ; nous avions aussi un appareil de projection et mon jeune frère projetait des films à mon père. Nous avions une radio à galène. Les journaux s'inquiétaient du développement des drogues parmi la jeunesse. Le divorce existait. On parlait du droit des peuples à disposer d'eux-mêmes. Le problème du pétrole dominait le monde. La psychologie était à la mode. On parlait beaucoup d'un certain Freud. La pédérastie commençait à se démocratiser. Les femmes se coupaient les cheveux. Les ménagères utilisaient volontiers des boîtes de conserves ; on disait : « Les petits pois en boîte sont meilleurs que les frais. » L'impôt sur le revenu existait. Les passeports étaient devenus obligatoires. Le service militaire était obligatoire. L'instruction était obligatoire. Des messieurs âgés faisaient des conférences sur le problème de la jeunesse. On fumait des cigarettes toutes faites. Des garçons et des filles d'une quinzaine d'années attaquaient les passants attardés. Les routes étaient goudronnées. Notre maison avait le chauffage central, l'eau froide et l'eau chaude, le gaz, l'électricité, des salles de bains.

Il y avait loin du jeune Renoir savourant les bonbons de la reine Amélie dans la cour du Louvre à son fils parcourant les routes du Midi au volant de sa voiture. Quand mon père mourut, la révolution industrielle était un fait accompli. L'homme commençait à penser qu'il pourrait mener à bien cette première tentative sérieuse d'échapper à la malédiction divine. Les enfants d'Adam allaient forcer les portes du Paradis terrestre, et leur science allait leur permettre de gagner leur pain sans répandre la sueur de leur front. Parfois, mon père et moi essayions de déterminer quel avait été le moment symbolique du passage de la civilisation de la main à celle du cerveau. Renoir admettait que le progrès avait procédé par évolution, de la première arme de silex à l'utilisation des ondes hertziennes, mais insistait sur le fait que l'accélération foudroyante dont nous sommes les témoins avait commencé avec l'invention du tube. Le tube nous amène l'eau, tous les liquides, le gaz.

Il a permis de faire des alambics, de distiller le vin ou l'orge. Avant le tube nous en étions réduits à nous enivrer avec du vin naturel. Le tube nous a donné des locomotives et des salles de bains. Il a permis de bâtir Montmartre. Quand Renoir était un jeune homme, le tube commençait seulement sa conquête du monde. L'industrie ne le débitait pas au mètre comme on débite du macaroni. Montmartre était un village, seulement un village, délicieux, perdu dans des buissons d'églantines. Montmartre ne pouvait pas être plus qu'un village parce qu'il n'y avait que cinq puits, ce qui limitait le nombre de buveurs d'eau. Avec « le tube » on a amené l'eau en haut de la colline, et Montmartre est devenu très laid, couvert de grandes maisons grises, prisons pour fourmis satisfaites. Moi-même étant venu au monde trop tard pour saluer l'apparition de l'eau courante, du gaz d'éclairage et du cognac trois étoiles, j'attribuais le grand changement à cette guerre de 1914 que nous étions en train de subir.

Jean Renoir, *Pierre-Auguste Renoir, mon père*, Gallimard, coll. «Folio», 1981

Parfum de classes

Le premier roman que Jean Renoir publia, Les Cahiers du capitaine Georges, quatre ans après le récit de la vie de son père, n'est pas très éloigné de l'autobiographie. Nouvellement engagé dans un régiment de hussards, le narrateur jette un regard critique et amusé sur les différences sociales.

Le seul inconvénient que j'eus du mal à surmonter au début fut l'odeur. Mes nouveaux camarades sentaient « le peuple ». Mes préjugés ne me déformaient pas le sens olfactif au point de me faire croire que seuls les bourgeois sentaient bon. Nous étions en 1913, et la majorité des Français vivait encore sous le régime du pot de chambre. Même chez les gens très riches, le bain était rare. Disons-le franchement, les intérieurs gracieusement ornementés de rideaux à pompons, dentelles, velours de soie, satins brochés et autres mignardises, sentaient le pipi. Les parfums de Grasse n'arrivaient pas à couvrir cette odeur qui était celle du XIXe siècle. J'imagine que les siècles précédents devaient être tout aussi odoriférants. Ça ne gênait personne, tant il est vrai que l'habitude devient une seconde nature. Après tout, l'échappement de nos automobiles ne sent pas la rose, et nous l'acceptons fort bien.

Si j'essaie de définir les odeurs, je dirais qu'avant la guerre de 14 l'odeur des bourgeois était à base de « renfermé », une odeur de corps bien chauffés, bien nourris, bien protégés des intempéries. C'était l'odeur de mes parents. C'était celle des domestiques, de Gilberte et de ses pareilles qui étaient des bourgeois par naturalisation. J'avais vaguement deviné l'odeur du peuple au cours de brèves rencontres avec le vitrier venant remplacer un carreau cassé ou le bougnat plié sous son chargement de bois. Il me semblait que cette odeur était plutôt à base de sueur. Elle me fascinait et me dégoûtait à la fois. Ma réaction n'était qu'une facette de l'éternelle histoire des rapports des bourgeois et des gens du peuple. Le riche est attiré par le pauvre. Il voudrait l'aimer. Il en aime déjà la poésie, les traditions, les filles et le langage. Il se sent intrigué par une pensée qu'il ne définit pas complètement, par des habitudes étranges et peut-être surtout par une gaieté qui depuis longtemps a déserté sa propre caste. A l'époque de mon histoire l'exotisme jouait encore son rôle là-dedans. Le terrassier dans ses larges pantalons de velours, ceinturé de rouge, moustachu comme un Sicambre, paraissait aussi loin du monsieur à faux col cassé que l'eût été un indigène du centre de l'Afrique.

Le bourgeois aimait l'homme du peuple et le lui disait. Et c'est ici que le malentendu commençait.

L'homme du peuple, trompé par l'attitude du bourgeois, croyait que celui-ci allait lui ouvrir les portes de son hôtel particulier, l'inviter à passer des vacances dans le Midi, et lui faire goûter les bons vins de sa cave. Pas du tout. Le bourgeois aimait l'homme du peuple à condition que celui-ci reste à sa place.

Jean Renoir,
Les Cahiers du capitaine Georges,
Gallimard, coll. «Folio»,
1994

La technique et la forme

S'il se définissait comme un «homme du XIXᵉ siècle», Renoir fut considéré à ses débuts comme un cinéaste d'avant-garde. Il offrait un cinéma dont l'ingéniosité technique fut souvent le fruit du génial bricolage d'une équipe d'amis. Sur le plateau, au moment où il commençait à tourner, Renoir enlevait son chapeau en signe de respect pour le travail des acteurs et des techniciens.

Jean Renoir s'expliqua volontiers sur la technique et la forme cinématographiques, sujets qui lui tenaient à cœur.

Formation

Je suis né dans un milieu d'artistes. Mon père était le peintre Pierre-Auguste Renoir. Cet environnement m'a certainement aidé à comprendre les problèmes visuels de base du cinéma. Mon premier emploi fut de travailler la céramique.

Débuts dans le cinéma

J'ai commencé dès le début comme producteur, metteur en scène et hélas, financier. Mon premier film ne fut que la démonstration de mes préoccupations techniques.

Votre but en faisant des films

Je crois n'avoir jamais eu d'intentions précises en faisant mes films. J'essayais d'offrir un bon divertissement. Je ne découvrais la signification profonde du film qu'en le tournant, et même plus encore, une fois terminé.

Quel genre de films voulez-vous faire ?

J'essaie de faire des films sans genre précis. Mon ambition était, et est toujours, de réussir un mélange de comédie et de drame.

Vos sources d'inspiration

Je n'ai pas de préférence. L'idéal est que l'auteur raconte sa propre histoire : Chaplin en est le plus brillant exemple. Mais cela prend du temps. Une histoire, une pièce de théâtre, ou un meurtre relaté dans les journaux, peuvent être d'excellents tremplins, mais rien de plus. La création réelle réside dans le travail du metteur en scène.

Préférez-vous travailler seul ou avec un scénariste ?

Encore une fois, je crois que l'auteur doit raconter sa propre histoire ; il ne doit pas seulement préparer les dialogues, mais aussi le découpage final. N'oublions pas que mes idées sur la réalisation d'un film sont basées sur ma conviction que l'auteur est le centre des opérations.

Collaborez-vous étroitement avec le scénariste ?

Je préfère travailler étroitement avec le scénariste.

Part d'improvisation dans vos films

Je préfère de beaucoup improviser.

Elément primordial dans la création d'un film

Non, chaque chose et chacun sont importants.

Collaboration avec le producteur

L'auteur d'un film est comparable à

l'auteur d'un livre. Le livre doit refléter sa personnalité. Une œuvre d'art n'est rien d'autre qu'une conversation avec un auteur. La fonction de producteur consiste à maintenir l'unité artistique et technique autour de l'auteur, mais aussi à trouver les fonds, ce qui n'est certainement pas la moindre de ses fonctions. Le producteur doit aussi se battre sauvagement pour une bonne sortie du film, accompagnée d'une bonne campagne publicitaire.

Le « dialogue director »

Je pense que le travail du dialogue director est une menace envers la personnalité de l'auteur-metteur en scène… appelons-le, le réalisateur du film.

Présence du producteur ou du scénariste sur le plateau

Qui peut aimer ?

Travail avec le chef opérateur avant le tournage

J'aime prendre une part active à toutes les phases techniques. J'aime être en contact étroit avec les techniciens bien avant le premier jour du tournage. J'aime avoir discuté chaque emplacement de la caméra. J'aime répéter avec les acteurs. J'aime vérifier chaque accessoire avec l'accessoiriste, chaque maquillage avec le maquilleur. Mais j'aime aussi improviser sur le lieu de tournage. Les meilleurs plans dans un film sont souvent ceux conçus et réalisés à la dernière minute. Une bonne préparation est indispensable, mais une fois dans le tourbillon du tournage, on découvre des tas de choses que l'on n'avait pas vues auparavant.

Le choix des acteurs

Tout est important dans la production d'un film. Pendant le tournage, il faut donner autant d'attention aux petits acteurs pendant la minute où vous travaillez avec eux, qu'à la vedette du film au cours du tournage d'un de ses gros plans. Un mauvais maquillage, même pour un personnage qui n'apparaîtra que quelques secondes à l'écran, peut gâcher une scène. N'oublions pas que dans

L'équipe de tournage de *Nana* (1926).

beaucoup de productions, c'est l'acteur qui choisit le metteur en scène et non l'inverse. Personnellement, sans acteur, je n'aurais pas fait beaucoup de films. Beaucoup d'acteurs aimaient mes films, et voulaient travailler sous ma direction.

Travail avec l'acteur

Je préfère discuter de ma conception du personnage avec l'acteur longtemps avant le tournage.

Les répétitions

Je ne suis pas partisan de trop de répétitions. Il importe de conserver autant de fraîcheur que possible. Les acteurs doivent donner l'impression de dire leurs phrases pour la première fois de leur vie. Je crois beaucoup aux répétitions à l'italienne, ce qui veut dire s'asseoir autour du metteur en scène qui interdit aux acteurs de donner de l'expression ; la lecture des dialogues doit être aussi monotone que le serait une lecture de l'annuaire téléphonique. Si l'on répète plusieurs fois cet exercice, il y a beaucoup de chance qu'un des acteurs exprime un petit rien qui pourrait être le point de départ d'une grande performance. On risque de tomber dans le cliché, si l'on permet aux acteurs d'être expressifs avant d'avoir saisi le côté physique du personnage. Le génie est fait d'une grande part d'innocence.

Fidélité par rapport au scénario

J'accepte avec plaisir les suggestions des acteurs. Mon travail consiste à ce que ces suggestions adhèrent à ma propre conception du sujet.

Le montage

Le montage d'un film est selon moi l'un des principaux outils d'expression dont dispose le metteur en scène. Le metteur en scène doit avoir presque discuté image par image du montage avec le chef monteur. Cette conception apparaissait comme insolite à l'époque où je travaillais activement. Aujourd'hui, ces idées sont

devenues courantes. Même le mot director est lentement, mais sûrement, remplacé par le terme *film maker* qui me semble plus juste.

Rôle de la musique

Je pense qu'une partition musicale qui souligne le jeu de l'acteur, implique que ces acteurs sont incapables d'interpréter leur personnage avec leur seul talent, et qu'il faut les aider avec la partition musicale, le décor et tous les moyens techniques qui les entourent. Un véritable acteur doit être en mesure de s'exprimer tout seul, tout comme le personnage qu'il interprète. Les bons acteurs n'ont pas besoin de trop d'artifices ; ils n'ont pas davantage besoin d'une partition musicale.

Préparation et enregistrement de la musique

Je reste en contact étroit avec le compositeur. La musique se fait pour beaucoup lors de discussions amicales autour d'un piano.

Sur quelles scènes mettre de la musique

Je crois que dans le cas où l'on ne peut se passer d'un accompagnement, il est préférable de se baser sur un genre de contrepoint musical.

La bande-son

Les sons sont d'une importance primordiale et doivent être traités d'une façon très réaliste. Une mauvaise bande-son peut gâcher une bonne scène.

Tay Garnett,
Portraits de cinéastes, un siècle de cinéma raconté par 42 metteurs en scène du monde entier,
5 Continents/Hatier, 1981

Renoir revient souvent à son premier film qui lui fit découvrir que « tous les éléments de notre vie comportent leur côté féerique ».

La Fille de l'eau *était une histoire sans importance littéraire. L'intrigue était au*

Plateau de tournage : Jean Renoir et Dido Freire (accroupie), script-girl.

second plan de nos préoccupations. Elle n'était qu'un prétexte à des plans présentant une valeur purement visuelle. Nous nous élevions contre le point de vue des intellectuels qui donnent la priorité au sujet et considèrent le contenu comme plus important que le contenant. Ils admirent *Le Radeau de la Méduse* de Géricault, mais pour de fausses raisons. C'est un magnifique tableau, mais peu de gens se rendent compte que ce tableau est grand par suite d'une symphonie équilibrée de couleurs et de formes. Ce qu'il signifie est secondaire. [...]

Une œuvre d'art n'est digne de ce nom que si elle donne au public l'occasion de rejoindre l'auteur. Regarder *Le Radeau de la Méduse* équivaut à une conversation avec Géricault. Le reste n'est que littérature. Il en est de l'art comme de la vie. On aime une histoire parce qu'on aime le conteur. La même histoire, contée par un autre, n'offre aucun intérêt. André Gide résume cet état de choses en deux mots : « En art, seule la forme compte. »

Jean Renoir,
Ma vie et mes films,
Flammarion, 1974

D'un réalisateur à l'autre

« Ce n'est pas le résultat d'un sondage mais d'un sentiment personnel : Jean Renoir est le plus grand cinéaste au monde » : François Truffaut considérait Renoir comme son « père ». Orson Welles qui, film après film, traqua la même histoire, voyait en lui « le plus grand de tous ». Une double filiation qui poursuit le rêve de celui qui affirmait : « Au fond, j'ai tourné un film, je continue à tourner un film depuis que j'ai commencé, et c'est le même. »

Renoir-Truffaut, la complicité

François Truffaut fut l'un des derniers jeunes amis de Dido et Jean Renoir. Certainement le plus cher. « Mon affection, vous la connaissez et je connais la vôtre », lui écrivait Jean le 11 août 1978. Déjà, le 8 février 1962, Jean Renoir commentait ainsi Jules et Jim, *le chef-d'œuvre de Truffaut.*

Cher François Truffaut,

Je profite de l'occasion pour vous dire que *Jules et Jim* me paraît la plus précise expression de la société française contemporaine que j'aie vue à l'écran.

En situant votre film en 1914 vous avez donné à votre peinture une tonalité encore plus exacte car le style de la pensée et du comportement présents est né avec les automobiles rehaussées de cuivre flamboyant. Le soupçon d'immoralité qui, apparemment, a effleuré certains confrères me semble inexplicable. La constatation d'une conséquence ne peut être immorale. La pluie mouille ; le feu brûle. L'humidité et la brûlure qui en résultent n'ont rien à voir avec la morale. Nous sommes passés en quelques années d'une civilisation à une autre. Le saut est plus impressionnant que celui exécuté par nos pères entre le Moyen Age et la Renaissance. Il est évident que de l'autre côté du fossé les rapports entre êtres humains sont autres. Le tailleur de pierre qui construisit Tournus ne considérait pas l'amour de la même façon que celui qui scellait les corniches de Versailles. Pour les chevaliers de la Table Ronde, les aventures sentimentales étaient un sujet de vaste rigolade, pour les Romantiques, un prétexte à débordements de larmes. Pour les personnages de *Jules et Jim*, c'est encore autre chose et votre film contribue à nous faire comprendre ce que peut être cet « autre chose ». C'est très important pour nous autres hommes que de savoir où nous en sommes avec les femmes et également important pour les femmes que de savoir où elles en sont avec les hommes.

Vous aidez à dissiper le brouillard qui enveloppe l'essence de cette question. A cause de cela et de bien d'autres raisons, j'espère que votre film aura une vaste diffusion. Je souhaite voir bientôt la suite des *400 Coups*.

Rappelez-moi au souvenir de votre charmante épouse.

Bien amicalement à vous,

Jean Renoir, 8 février 1962

Truffaut offre une description très vivante de la maison de Renoir à Leona Drive, en Californie, et de ses familiers.

Depuis vingt ans, j'ai tellement écrit sur l'œuvre de Jean Renoir et plus récemment à l'occasion de la sortie de ses mémoires : *Ma vie et mes films* que je préfère aujourd'hui, m'adressant aux spectateurs du Canut, parler de l'homme et de sa vie quotidienne qui se déroule à dix mille kilomètres de nous.

Jean Renoir habite Beverly Hills en haut d'une petite route, Leona Drive, qui se termine justement à l'entrée de sa maison. Leona Drive ne desservant que sept ou huit propriétés, la maison Renoir se trouve protégée du bruit de la circulation dont on entend seulement le roulement lointain sur Benedict Canyon. [...]

Chaque matin Dido Renoir se réveille à sept heures et attend le passage du livreur qui jette devant la maison le *Los Angeles Times* ; lorsque son mari se réveille, Dido vient lui lire les nouvelles les plus intéressantes. Vers neuf heures, c'est l'arrivée de Greg, un jeune acteur qui était infirmier au Vietnam : il vient masser la jambe blessée de Jean Renoir, blessure de guerre de 1916 jamais guérie, responsable de la fameuse démarche d'ours d'Octave.

Ensuite Jean Renoir fait son courrier, décline toutes les invitations à venir parler dans les universités, toutes les offres à présider un jury et aussi toutes les demandes d'authentifications de tableaux de son père, tout cela le plus gentiment du monde, vous le connaissez et vous savez que sa politesse est légendaire.

Après le déjeuner préparé par Dido et une solide cuisinière costaricaine, Zénaïda, Jean Renoir fait une sieste assez courte en attendant l'arrivée de sa secrétaire Luli Barzman, jeune Américaine née en France, son père scénariste fameux ayant quitté Hollywood au moment de la « chasse aux sorcières ». La jolie Luli est chargée de dactylographier le nouveau livre de Jean Renoir, un roman dont le protagoniste sera un acteur depuis sa naissance jusqu'à sa mort. Le premier roman de Jean Renoir, *Les Cahiers du capitaine Georges*, a enthousiasmé un voisin de Jean Renoir, voisin et ami, Henry Miller, à tel point que l'homme des tropiques voudrait en préfacer une nouvelle édition et en changer le titre qu'il n'approuve pas pour celui d'*Agnès*, le nom de l'héroïne. De ce premier roman Jean Renoir avait tiré un scénario, *Julienne et son amour*, qu'il voulait tourner avec Jeanne Moreau il y a dix ans mais ce grand projet lui a été refusé. Le roman que Jean Renoir est en train d'écrire s'intitule provisoirement *L'Acteur*.

Vers cinq heures de l'après-midi, Luli repart suivre des cours de cinéma à l'American Film Institute ou bien à U.C.L.A. et Jean Renoir, assis dans le jardin s'il fait beau ou dans son salon, reçoit la visite de ses amis. C'est peut-être Leslie Caron, la fille de la maison depuis qu'elle a joué *Orvet*, ou alors Chuck qui vend des autographes de Zola et de Napoléon dans une petite boutique de Canon Drive ou encore le couple idéal formé par Jeanne et Robert Weymers, deux amis belges qui apprennent aux Américains comment éclairer les buildings. Visite quotidienne de Jeannot Slade, le fils de Gabrielle qui éleva Jean Renoir et mourut ici même il y a une vingtaine d'années. Visite hebdomadaire du professeur Alexander Sesonske qui enseigne le cinéma à l'université de Santa Barbara et qui est en train d'écrire le plus gros livre jamais consacré à l'auteur du *Carrosse d'or*.

Dans le salon de la maison Renoir, un petit espace est réservé à loger un écran que l'on peut dérouler ; sur le mur d'en face, un tableau que l'on soulève laisse passer le faisceau d'un projecteur de l'armée 16 mm fixé en permanence dans un placard du couloir. Alors Dido Renoir, Jean et leurs invités peuvent regarder un film de Jean Renoir ou bien un film nouveau dont Peter Bogdanovitch, ou un autre ami fidèle, aura amené la copie.

Ainsi s'écoule la vie quotidienne de Jean Renoir. La pensée qu'il ne tournera probablement plus de films le tourmente parfois car il a l'impression qu'il aurait pu faire plus et mieux mais nous, qui regardons ses films et les aimons tant, nous savons que c'est lui qui a fait le plus et qui a fait mieux.

François Truffaut, 15 décembre 1975

Orson Welles et Jean Renoir, deux géants

De Jean Renoir, Orson Welles n'hésitait pas à dire qu'il était « le plus grand de tous ».

Renoir fait figure de père ; il est devenu une sorte de saint au Panthéon du cinéma. Mais bien qu'il ait toujours eu d'ardents partisans, une interminable et obscure querelle les a partagés au fil des années. La question est : quels films est-il convenu d'appeler de « vrais » Renoir, et quels films sont, selon de nombreux cinéphiles français, sinon des « faux », du moins des « déceptions » ?

Dès ses tout premiers débuts et tout au long de sa carrière, Jean Renoir a été accusé d'avoir abandonné le « réalisme social » ou de s'être détourné de la nature pour un naturel de théâtre qui choquait ceux qui liaient son œuvre à l'impressionnisme de son père, ou encore ceux qui évaluaient ses films d'après leur contenu idéologique.

La traditionnelle attitude critique qui consiste à se demander ce qui est et ce qui n'est pas « cinématographique » s'est

toujours opposée à l'irréalité de la scène approuvant la notion inverse, celle du naturalisme à la Zola. Ceux qui persistent à vouloir trouver une analogie entre les films du fils et les tableaux du père oublient que Pierre-Auguste Renoir s'était réjoui à son époque de l'invention de la photographie. Pour lui, cette nouveauté permettait enfin de libérer la peinture des contraintes de la précision et des obligations du réalisme.

Jean Renoir, quant à lui, disait : « Le conflit entre le réalisme extérieur et le non-réalisme intérieur est la préoccupation de tous les créateurs au cinéma. » […]

« Les producteurs, dit-il au critique Penelope Gilliat, voudraient que je continue de tourner les films que je faisais il y a vingt ans. Impossible, je suis quelqu'un d'autre. Mon inspiration est ailleurs. »

Vingt ans était une unité de temps qui revenait souvent dans sa conversation. Jean Renoir était né à Paris le 15 septembre 1894. « J'ai toujours été, me dit-il un jour, un homme du XIXe siècle, tout comme mon père avait coutume de se considérer comme un homme du XVIIIe siècle. »

Il prétendait aussi qu'un artiste doit être en avance de vingt ans sur son temps. Et que cela était particulièrement difficile pour un homme de cinéma, « parce que le cinéma se doit d'avoir vingt ans de retard sur le public. »

Le connaissant comme je le connaissais, je sais qu'il ne s'apitoyait pas sur lui-même mais qu'il éprouvait seulement une sorte d'amertume sèche et impersonnelle lorsqu'il déclarait à Gilliat : « Les hommes d'argent pensent qu'ils savent ce que le public veut. En vérité, ils n'en savent rien – pas plus que moi. » Il ajoutait que l'erreur la plus dangereuse de toutes était « d'avoir peur que le public ne comprenne pas ». Il ne défendait pas l'intelligence du public (non, le public est paresseux), mais proclamait plutôt, à un certain degré, la nécessité d'une ambiguïté délibérée.

Quand nous autres cinéastes, nous nous efforçons d'atteindre une transparence parfaite, nous n'atteignons finalement que la banalité. C'était, il en était sûr, le véritable problème avec Hollywood. Non pas que cette sorte d'attitude défiât l'argent. Non, c'était bien pis : elle conduisait à idolâtrer un idéal de prétendue perfection : « Ils retravaillent le son de manière à avoir un son parfait, ce qui est bien. Ensuite ils retravaillent la lumière, de manière à avoir une lumière parfaite. Mais ils retravaillent aussi les idées du metteur en scène, ce qui n'est pas parfait. Lorsqu'un film est parfaitement beau et intelligible, le public n'a rigoureusement rien à ajouter. Il n'y a donc aucun échange qui s'effectue. Un film muet était plus facile à réaliser qu'un film parlant parce qu'il lui manquait quelque chose. Dans les films parlants, nous devons reproduire ce manque d'une autre façon. Il est indispensable d'exiger des acteurs qu'ils n'apparaissent pas comme un livre ouvert sur l'écran mais qu'ils affichent au contraire des sentiments intérieurs et des secrets. » […]

Laissons-lui le dernier mot : « A la question : le cinéma est-il un art ? ma réponse est la suivante : qu'est-ce que ça peut bien faire !… Vous pouvez faire des films ou vous pouvez cultiver votre jardin. Les deux ont autant droit d'être qualifiés d'art, tout comme un tableau de Delacroix. L'art, c'est créer. L'art de la poésie, c'est l'art de faire de la poésie. L'art de l'amour, c'est l'art de faire l'amour… Mon père ne me parlait jamais de l'art. Il ne pouvait pas supporter ce mot. »

Los Angeles Times, 18 février 1979
Cinéma/Spectacles, 22 février 1982

En 1968, Jean Renoir accepta de présenter le film d'Orson Welles Une histoire immortelle *à la télévision française,* *exprimant encore une fois une idée qui lui était chère : les grands artistes racontent toujours la même histoire.*

Il me semble (mais je n'en suis pas sûr, parce que de quoi peut-on être sûr ?), il me semble que les grands artistes ont, toute leur vie, raconté la même histoire. Que ce soit des peintres, des littérateurs, des musiciens, il y a quelque chose en eux qui doit sortir, quelque chose qui est très fort, quelquefois c'est secret n'est-ce pas, mais ça y est, et lorsqu'ils en ont l'occasion, lorsque la soupape de sûreté fonctionne, ça sort.

Pour Orson Welles, il y a un rêve, évidemment, qu'il poursuit. Je ne sais pas s'il en est conscient, mais ça m'étonnerait qu'il ne le soit pas, car il est tellement formidablement intelligent ! Donc, pour Orson Welles, il y a, évidemment, un rêve qu'il poursuit, c'est le rêve de *Citizen Kane* ou de *Falstaff*. Or, dans le film que vous allez voir [*Une histoire immortelle*], il y a du *Falstaff*, il y a du *Citizen Kane*, il y a de l'Orson Welles. En réalité, ce film est un petit peu comme une confession. Il y a aussi de l'enfant chez les artistes. Alors, on se rend compte que le personnage tellement pittoresque représenté sur l'écran, c'est le rêve d'enfant qui est devenu le rêve d'homme. Ce rêve, d'ailleurs, comme tous les rêves, réclame son décor. Les rêves se passent dans un milieu spécial, dans un monde qu'il faut créer. Nul comme Orson Welles n'a créé le décor de ses rêves. Il y a un monde Orson Welles. […] Je crois que c'est la caractéristique du génie de créer un petit monde. Un petit monde dans lequel, ensuite, on fait s'agiter des personnages qui, en général, ne sont que soi-même. Chez Orson Welles, c'est flagrant ; un film d'Orson Welles, c'est un peu comme le portrait d'Orson Welles.

Jean Renoir, 1968

Renoir vu par...

Le cinéma de Renoir demeure avant tout une affaire d'amitié. Ses intuitions n'ont pu se révéler que dans le climat qu'il sut instaurer avec ses collaborateurs et complices. De Georges Simenon, il adapta La Nuit du carrefour, *mais les deux compères fomenteront nombre d'autres projets qui ne verront pas le jour. Pierre Braunberger, quant à lui, fut un des premiers à croire en Renoir dont il produisit les premiers films.*

Georges Simenon fut pour Renoir un ami de toujours. Catherine Hessling et Jean se rendaient déjà aux soirées que Georges et Tigy Simenon donnaient dans leur appartement parisien de la place des Vosges, à l'époque de la « Revue Nègre » et des « Arts Déco ». Ils ne se perdirent jamais de vue.

Jean Renoir tranchait déjà [en 1923] avec les autres metteurs en scène de l'époque. La plupart des autres, en effet, étaient plutôt des théoriciens, des

Georges Simenon dans les années 1930.

intellectuels, qui tentaient d'expliquer le nouveau cinéma. Jean Renoir, lui, était un grand garçon joufflu, à l'œil candide, qui parlait fort peu de son travail. Tel qu'il était à ce moment-là, avec sa bonhomie et quelque chose de candide dans le regard, il l'est resté toute sa vie.

C'était aussi un impulsif, qui se livrait passionnément à ses impulsions du moment.

C'est ainsi que tout jeune, pendant la Première Guerre, celle de 1914, il a tenu à s'engager dans l'aviation. C'est au cours d'un raid, dans le Nord, je crois, qu'il a reçu un éclat d'obus dans la jambe et il en a souffert toute sa vie. Mais il ne regrettait rien et quand il est venu me demander les droits cinématographiques de *La Nuit du carrefour,* alors que je me trouvais sur la côte normande à Ouistreham, je l'ai vu arriver à deux cent cinquante kilomètres à l'heure dans une Bugatti de compétition.

Aucune pose chez lui, ni chez le cinéaste, ni chez l'homme. Je l'ai toujours vu si naturel que je reprends à son sujet le mot « candide ». Je n'ose pas employer le mot enfantin qui paraît très péjoratif mais qui, dans mon esprit, explique toute sa vie et son œuvre. Ne tenait-il pas ça de son père ? Je ne suis pas loin de le croire.

Je l'ai vu tourner plus tard plusieurs films. J'ai vu tourner beaucoup d'autres metteurs en scène. Aucun ne s'y prenait comme lui. Ce qui explique peut-être les démêlés qu'il devait avoir avec les pontifes d'Hollywood.

Presque sans le vouloir, il s'écartait sans cesse du script pour improviser, soit parce qu'un nuage qui passait lui donnait une idée nouvelle, soit parce qu'il avait surpris une expression nouvelle sur le visage d'un de ses acteurs.

Ses rapports avec ceux-ci étaient également peu orthodoxes ! En effet, il vivait tout le temps de la durée d'un film avec ses acteurs principaux, déjeunant, dînant et passant la soirée avec eux.

Jamais il n'avait l'air de leur donner des conseils. C'étaient des petites phrases, quelques mimiques, des plaisanteries même qui mettaient peu à peu les interprètes dans la peau de leur rôle.

Je l'ai vu tourner ainsi avec des acteurs peu commodes, comme Gabin et surtout la Magnani qui n'était pas facile à diriger, surtout qu'il la faisait jouer en anglais, langue qu'elle ne connaissait pas alors.

Je me souviens d'une scène où elle devait traverser un salon, prononcer trois phrases, et revenir vers la caméra. Dix fois, quinze fois, la Magnani butait sur le même mot ou se trompait de trajectoire. Chaque fois, cependant, il lui disait amicalement :

– Très bien, Anna. As-tu envie de recommencer ?

Et ils recommençaient à l'infini.

– Cette fois, ça y est. Pour moi, c'est parfait. Mais, si toi tu n'es pas tout à fait contente, je veux bien refaire encore une fois ce passage.

C'est ainsi qu'il a littéralement dompté celle dont les colères effrayaient tant de metteurs en scène.

Il en était de même avec Jean Gabin, qui est aussi de mes amis et Gabin ne s'est jamais montré aussi docile ni aussi bon que dans les films de Jean Renoir.

L'indépendance de Jean Renoir l'empêchait souvent de travailler avec ce qu'on appelait les grands producteurs pour qui le metteur en scène n'était en somme qu'un des rouages du film et non le plus important. [...]

Ce que j'aime à souligner, c'est le côté spontané de Jean Renoir. Dirai-je que c'était un grand ingénu, comme l'ont été, dans tous les arts, presque tous les créateurs. Sans en avoir l'air, avec son air bonhomme et naïf, il suivait obstinément son chemin tel qu'il se le traçait lui-même et c'était certainement le moins conventionnel des artistes, en particulier des cinéastes.

Georges Simenon, lettre à Célia Bertin,
7 mars 1984

Le producteur Pierre Braunberger, était, lui aussi, un vieil ami de Renoir. Il avait été l'assistant d'Irving Thalberg, le grand producteur hollywoodien qui inspira à Francis Scott Fitzgerald le personnage du Last Tycoon *(Le Dernier Nabab).*

J'ai connu Renoir par son ami Pierre Lestringuez mais je ne me souviens plus des circonstances de ma rencontre avec ce dernier. Elle a dû se produire dans les milieux littéraires parisiens. C'était un petit cercle d'amis très fermé où je suis entré assez vite. J'ai souvenir de Claude Autant-Lara qui fréquentait déjà Renoir et que Lestringuez m'avait présenté, et de Galtier-Boissière qui faisait aussi partie de ce groupe. [...]

Ce fut un véritable coup de foudre, à tel point que nous avons discuté jusqu'à six heures du matin. [...] Au cours de cette nuit, Renoir m'a parlé de ses problèmes techniques, des expériences qu'il avait tentées, notamment dans *La Fille de l'eau* qu'il avait tourné avec sa femme Catherine, avec de tout petits moyens et en étant lui-même opérateur. Moi, je lui parlai de ce que j'avais vu à Hollywood. Lui n'avait pas attendu les Américains pour tourner avec une caméra à moteur, mais il n'avait pas encore entendu parler des lampes à vapeur de mercure dont on se servait sur les plateaux de Los Angeles avec déjà de la pellicule panchromatique.

Il se trouve que mon père, dans son cabinet, possédait de telles lampes. Ces lampes à vapeur de mercure étaient utilisées par certains médecins pour soigner leurs malades comme on le fait avec les rayons ultra-violets. Jean me pressa de lui téléphoner afin de pouvoir les essayer. Mon père ayant accepté que Jean Renoir vienne tourner dans son cabinet, nous y sommes allés dès le lendemain, après sa consultation. Jean fut enchanté des résultats. A la suite de ces premiers essais, il fit fabriquer des lampes chez le fournisseur de mon père. Je me souviens des grands panneaux réfléchissants qu'il avait chez lui pour faire des prises de vue avec ces fameuses lampes. Les studios français allaient les adopter peu de temps après. Quand je l'ai rencontré, il avait déjà tourné une partie de *La Fille de l'eau* et *Catherine* (*Une vie sans joie*), mais les deux films n'étaient pas terminés.

Renoir avait des difficultés diverses, beaucoup de désirs de films, et il ressentait le besoin de mieux organiser son travail. Il décida de fonder la Société des films Jean Renoir dont je devins le directeur. [...]

C'est à l'occasion du tournage de *La Fille de l'eau* que Renoir fit la connaissance de l'opérateur anglais Raleigh. Celui-ci en était encore à développer ses films dans une cuve de sa salle de bains à l'aide de cadres en bois rectangulaires. Je ne sais plus s'il tirait lui-même les rushes. C'était un prodigieux technicien et on comprend que Renoir qui adorait l'invention et le bricolage technique se soit très bien entendu avec lui. Ces deux films furent des échecs publics, mais je les ai tout de même très bien vendus à un distributeur, les éditions Petit. Le succès viendra quelque temps plus tard avec *Nana*. [...]

Nous avions embauché, en plus de l'opérateur français Jean Bachelet et de l'Anglais Raleigh, un très grand opérateur américain, Corwin. Nous démarrâmes le tournage du film dans les studios Gaumont, rue Carducci dans le XIXe arrondissement de Paris. Mais Werner Krauss avait des engagements au Deutsches Theater où il était pensionnaire et nous fûmes obligés de le suivre à Berlin pour tourner la suite du film. Cela se fit dans de très bonnes conditions, dans les studios Grünenwald que j'avais trouvés.

C'est ainsi que je fus amené à mettre au point ma première coproduction allemande qui, je crois, était aussi l'une des toutes premières avec ce pays. Le coproducteur allemand Izzi Rosenfeld prenait en charge les frais de tournage en Allemagne, dont le studio et une partie des salaires des acteurs germaniques. J'ai eu beaucoup de travail sur ce film. [...]

Jean a toujours été un très grand directeur d'acteurs, qu'il y en ait un, dix ou cent sur le plateau. A part lui, les plus célèbres metteurs en scène, dans leurs deux ou trois premiers films, n'ont jamais pu tourner avec plus de quatre acteurs dans un même plan. Lui était extraordinaire. Dès Catherine, il a dirigé des foules et, tout de suite, il a su parler aussi bien à des acteurs de premier rôle qu'à des acteurs de second plan, ou à des masses de figurants. Il est, d'instinct pourrait-on dire, le metteur en scène des

Jean Renoir et Pierre Braunberger.

grandes vedettes comme des figurants. Cette prodigieuse aisance montre bien qu'il est né metteur en scène… *Nana* fut monté à Paris. Renoir avait énormément de pellicule. Après montage, le film étant beaucoup trop long, il en fit différentes versions. […]

Emile Zola était encore à l'époque un auteur qui sentait le soufre. Par chance, mon père soignait Edmond Sée qui était le président de la Commission de censure. Je l'ai rencontré avant le tournage du film pour lui expliquer le projet […]. La Commission fut choquée par le film, mais nous avons pu prouver que les passages incriminés étaient dans le roman et que par conséquent elle ne pouvait pas prendre le risque de censurer Zola. Il n'y eut pas de coupe. […]

Comme Auguste Renoir se méfiait de toutes les institutions, ses enfants avaient assez peu fréquenté l'école, juste ce qu'il fallait. Cela n'empêcha pas Jean de posséder une très vaste culture. Il avait commencé par faire de la céramique avec talent, puis étant tombé très amoureux d'Andrée Madeleine Heuschling, un ancien modèle de son père, il décida de faire du cinéma après l'avoir épousée en 1920. Il se lança alors dans l'aventure de *La Fille de l'eau* et de *Catherine* dont Andrée tira son pseudonyme Catherine Hessling.

Catherine Hessling, comme les femmes que Jean Renoir a pu aimer ensuite, eut une très grande importance dans son œuvre. Toute sa vie, Jean a eu des muses, qui ont toujours été, peu ou prou, à l'origine de ses projets. Il n'était pas ce que l'on appelle « un homme à femmes », comme il y en a tant dans ce milieu. Comment aurait-il pu l'être, lui dont l'originalité était de ne penser qu'au cinéma ? Je crois que c'était un amoureux profond mais pas un séducteur.

Il était un autodidacte complet en matière de cinéma. Il avait vu beaucoup de films, américains notamment. […]. C'est à partir des films qu'il a vus et qu'il garde en mémoire, qu'il va se mettre au travail de façon empirique. La sensibilité artistique que lui a léguée son père va faire le reste. Il découvre la technique en achetant une petite caméra et en faisant lui-même des prises de vues. La séquence du rêve dans *La Fille de l'eau* est absolument extraordinaire lorsqu'on sait que Jean Renoir n'avait jamais touché à une caméra avant de l'enregistrer, seul. Il a su s'adapter à cette technique nouvelle pour lui, comme il saura plus tard s'adapter au cinéma parlant. C'est aussi son génie propre que de savoir, en les expérimentant, intégrer des données nouvelles qui peuvent tout bouleverser. Au fond, il est un peu le précurseur des cinéastes qui constitueront, quelque vingt-cinq années plus tard, la Nouvelle Vague : on apprend le cinéma en le regardant à la Cinémathèque ou ailleurs, en bricolant, mais on ne devient pas cinéaste en étant d'abord assistant.

Pierre Braunberger producteur, propos recueillis par Jacques Gerber, Editions du Centre Pompidou et Centre national de la cinématographie, Paris, 1987

Renoir père & fils

Dans son ouvrage autobiographique Ma vie et mes films, *Jean Renoir avouait : « J'ai passé toute ma vie à déterminer l'influence de mon père sur moi. » Rebondissant sur cette hypothèse, la Cinémathèque française a décidé d'inaugurer son nouvel espace au 51 rue de Bercy, par une exposition consacrée à la famille Renoir, confrontation visuelle originale entre les toiles de Pierre-Auguste Renoir et les films (mais ne dit-on pas aussi les toiles ?) de son fils Jean.*

Les deux commissaires, Serge Toubiana (directeur de la Cinémathèque française) et Serge Lemoine (président de l'établissement public du musée d'Orsay), ont mené la démonstration comparative en partant du principe suivant : que se passe-t-il lorsque l'espace lui-même permet de mesurer à la fois l'écart et les similitudes entre un tableau accroché à une cimaise et un extrait de film projeté ? D'un côté, un temps arrêté, de l'autre un temps en boucle. D'un côté une lumière qui émane de l'intérieur, de l'autre de l'extérieur. Les médiums n'ont rien à voir, mais toutefois ils donnent à voir la circulation implicite de motifs. Certains exemples parlent d'eux-mêmes : le *Bal du Moulin de la Galette, Montmartre* (1876), face au bal populaire d'*Elena et les hommes* (1956), ou *La Balançoire* (1873) installé près d'un extrait projeté de *Partie de campagne* (1936) dans lequel Sylvia Bataille virevolte sur une balançoire. On croirait à un mimétisme iconographique. L'analyse des deux cadres et de leur dynamique indique pourtant qu'une véritable révolution copernicienne s'est opérée entre les deux. Le mélange des points de vue et des perspectives dans le film de Jean Renoir métamorphose

la matière même du cadre, au point de déformer la courbe du visage, et les élans du corps. N'oublions pas qu'entre la fin du XIXe siècle et le milieu des années 1930, de nouvelles esthétiques ont bouleversé le champ de vision : les avant-gardes européennes et russes ont architecturé le réel autrement, et Jean Renoir, aussi franc-tireur soit-il, a été largement inspiré par elles. N'a-t-il pas construit un monde onirique fait de surimpressions, de miroitements et d'accélération dans *La Petite Marchande d'allumettes* (1928) ?

Une philosophie commune du monde ?

L'exposition commence par une présentation de la famille Renoir. D'abord le père, puis les fils, entre lesquels s'étaient tissées de profondes connivences artistiques, surtout avant la Grande Guerre. Au cœur du parcours est évoqué le thème de la nature. Cette section valorise la régénération solaire et le bouillonnement vital, incarné en peinture et au cinéma par un ballet d'ombrelles, de guinguettes, de canotiers, de blanchisseuses, et de feuillages multicolores. Outre l'influence originelle de Marlotte (« Rien de plus français que ce paysage. Monet, Sisley et mon père ont passé nombre d'étés dans une petite auberge des environs. En fait, pour être honnête, c'est la raison pour laquelle j'ai acheté une maison dans la région », dira Jean Renoir), et de la maison des Collettes (paradis terrestre du sud de la France dans lequel s'installe Pierre-Auguste en 1908 et au sein duquel il situe la dernière partie de son œuvre picturale, comme plus tard Jean y tournera des plans du *Déjeuner sur l'herbe* en 1958), se manifestera l'attrait pour les paysages exotiques, comme l'Inde, magnifié par Technicolor. « Pour *Le Fleuve* (1951), Jean Renoir et moi avons beaucoup travaillé ensemble, avec en *background*, Renoir le peintre, mon grand-père : toutes nos recherches sur les couleurs, les rendus, les contrastes, étaient dictés par cela », expliquait Claude Renoir junior dans un entretien pour la revue *Cinématographe* (1979). Les lieux sont là comme traces d'une philosophie commune du monde, un même rapport au sacré, et à la société des hommes, une même imprégnation de la « théorie du bouchon » (un *leitmotiv* qui court chez le père et traverse le fils, une manière harmonieuse de suivre le courant, sans pour autant être passif).

Toutefois, la présence physique et concomitante des tableaux et des films doit amener à comprendre en quoi des divergences s'opèrent entre l'œuvre de l'un et celle de l'autre. Divergences que différents documentaires diffusés dans l'exposition permettront de mesurer avec finesse. La nature n'est pas filmée comme elle est peinte. Les Collettes apparaissent en 1958 plus intellectualisées que chez le peintre. L'eau et les oliviers y sont des éléments cosmiques, loin des motifs impressionnistes, élaborés sur une matière essentiellement sensorielle. Une distance s'est installée. Entre-temps, Jean Renoir a découvert la métaphysique indienne, et expérimenté les techniques de travail de la télévision à plusieurs caméras, qui l'éloignent de l'artisanat qui prévalait encore jusqu'aux années 40.

« J'ai toujours imité mon père »

Le catalogue de l'exposition a été l'occasion de rencontrer les derniers collaborateurs de Renoir. Le récit de Norman Lloyd, qui joua un rôle secondaire dans *The Southerner* (*L'Homme du Sud*, 1945), mais qui fréquenta beaucoup Jean Renoir et son épouse Dido, installés alors à Los Angeles, est troublant. « Sur ses vieux jours, Jean ne sortait quasiment plus hors de chez lui. Il avait tous ses films en 16 mm, et les faisait projeter dans son salon. […] Un écran tombait du plafond, et, se positionnant, camouflait alors trois des tableaux de son père accrochés au mur. De l'autre côté de l'écran, un tableau de son père se mettait à pivoter pour laisser passer la lentille de projection. Son père disparaissait donc pour lui laisser la place ! Lors de l'une de ces séances, Jean, qui était vraiment d'une intelligence et d'une douceur incroyables, me raconta que quand il commença à faire des films, les gens n'arrêtaient pas de lui parler de l'héritage de son père : il voyait du Pierre-Auguste partout, et disaient que son fils l'imitait. Jean s'était alors juré qu'il ferait tout pour éviter qu'on ne répète cette phrase tout le temps. Âgé, pourtant, il se rendit compte que son plan avait échoué : "Finalement, j'ai revu tous mes films chez moi, et je dois avouer que j'ai toujours imité mon père ! Je n'ai même fait que ça." C'était très émouvant de l'entendre me dire ça. » Comme toujours, même entre deux artistes de génie, l'héritage spirituel ne peut donc exister sans un œdipe originel, problématique, à dépasser.

Matthieu Orléan,
Cinémathèque française

FILMOGRAPHIE

Sont indiquées successivement les années de tournage et de sortie [pour la période américaine aux Etats-Unis puis en France], lorsqu'elles ne coïncident pas.
Les numéros de pages en romain, à la fin de chaque notice, renvoient au texte ; ceux en italique renvoient aux légendes.

Abréviations : *A* = adaptation, *Dé* = décor, *Di* = dialogues, *I* = image, *M* = montage, *P* = production, *S* = scénario.

1924 • *La Fille de l'eau* [1927]
S = Pierre Lestringuez. *A*= Jean Renoir. *I* = Jean Bachelet. *Dé* = Jean Renoir. *P* = Jean Renoir.
Avec Catherine Hessling, Pierre Champagne, Pierre Renoir, André Derain. 89'.
Pages 24-25, *25*, 120-121.

1925-1926 • *Nana*
S = Pierre Lestringuez, d'après le roman d'Emile Zola. *A* = Jean Renoir. *I* = Edmund Corwin. *Dé* = Claude Autant-Lara. *M* = Jean Renoir. *P* = Films Jean Renoir.
Avec Catherine Hessling, Jean Angelo, Werner Krauss, Valeska Gert, Pierre Philippe, Pierre Lestringuez, Pierre Champagne, André Cerf, Pierre Braunberger, Raymond Turgy, Jacqueline Forzane. 161'.
Pages 25-26, *26*, *27*, *29*, *30*, 31.

1926 • *Sur un air de charleston* [1927]
S = Pierre Lestringuez, d'après une idée d'André Cerf. *I* = Jean Bachelet. *M* = Jean Renoir. *P* = Jean Renoir.
Avec Catherine Hessling, Johnny Huggins. 25'.
Pages 30, *30*.

1926 • *Marquitta* [1927]
S = Pierre Lestringuez. *A* = Jean Renoir. *I* = Jean Bachelet, Raymond Agnel. *Dé* = Robert-Jules Garnier. *P* = Société des Artistes Réunis (Marie-Louise Iribe).
Avec Marie-Louise Iribe, Jean Angelo, Pierre Philippe, Pierre Champagne, Simone Cerdan. 120'.
Pages 32, *32*.

1927-1928 • *La Petite Marchande d'allumettes*
Coréalisation = Jean Tedesco. *A* et *S* = Jean Renoir, d'après le conte de Hans Christian Andersen. *I* = Jean Bachelet. *Dé* = Eric Aaes. *P* = Jean Renoir et Jean Tedesco.

Avec Catherine Hessling, Jean Storm, Manuel Raabi, Amy Wells, Mme Heuschling. 29'.
Pages 30-31, *30*.

1928 • *Tire-au-flanc*
A et *S* = Jean Renoir, Claude Heymann et Alberto Cavalcanti, d'après le vaudeville d'André Mouézy-Eon et A. Sylvane. *I* = Jean Bachelet. *Dé* = Eric Aaes. *P* = Armor-Film (Pierre Braunberger).
Avec Georges Pomiès, Michel Simon, Fridette Fatton, Félix Oudart, Jeanne Helbling, André Cerf. 120'.
Pages 32, *41*, 107.

1928 • *Le Tournoi* ou *Le Tournoi dans la cité* [1929]
S = Henry Dupuy-Mazuel et André Jaeger-Schmidt, d'après un roman de Henry Dupuy-Mazuel. *A* = Jean Renoir. *I* = Marcel Lucien, Maurice Desfassiaux. *Dé* = Robert Mallet-Stevens. *M* = André Cerf. *P* = Société des films historiques.
Avec Aldo Nadi, Jackie Monnier, Enrique Rivero, Blanche Bernis, Suzanne Després, Manuel Raabi, Gérald Mock. 120'.
Pages 32, *32*.

1929 • *Le Bled*
S = Henry Dupuy-Mazuel, André Jaeger-Schmidt. *A* = Jean Renoir. *I* = Marcel Lucien, Léon Morizet. *Dé* = William Aguet. *M* = Marguerite Renoir. *P* = Société des films historiques, avec le concours du gouvernement français.
Avec Jackie Monnier, Diane Hart, Enrique Rivero, Alexandre Arquillère, Manuel Raabi, Jacques Becker. 102'.
Pages *13*, 32.

1931 • *On purge bébé*
S = Jean Renoir et Claude Heymann, d'après la comédie de Georges Feydeau. *I* = Théodore Sparkuhl, Roger Hubert. *Dé* = Gabriel Scognamillo. *M* = Jean Mamy. *P* = Pierre Braunberger et Roger Richebé.
Avec Jacques Louvigny, Marguerite Pierry, Michel Simon, Olga Valéry, Fernandel. 62'.
Pages 33, *33*.

1931 • *La Chienne*
A et *S* = Jean Renoir, André Girard, d'après le roman de Georges de La Fouchardière et la pièce tirée de ce roman par André Mouezy-Eon. *Di* = Jean Renoir, Pierre Prévert. *I* = Théodore Sparkuhl. *Dé* = Gabriel Scognamillo. *M* = Denise

Batcheff-Tual et Paul Féjos, puis Marguerite Renoir et Jean Renoir. *P* = Pierre Braunberger et Roger Richebé.
Avec Michel Simon, Janie Marèze, Georges Flament, Magdeleine Berubet, Pierre Gaillard, Jean Gehret, Alexandre Rignault, Lucien Mancini, Romain Bouquet, Max Dalban, Henri Guisol, Jane Pierson. 100'.
Pages 33, 36-37, *36, 37, 41*, 77.

1932 • *La Nuit du carrefour*

S = Jean Renoir, d'après le roman de Georges Simenon. *I* = Marcel Lucien, Georges Asselin. *Dé* = William Aguet, Jean Castanier.
M = Marguerite Renoir, Suzanne de Troye. *P* = Europa-Films.
Avec Pierre Renoir, Georges Térol, Winna Winfried, Georges Koudria, André Dignimont, Jean Gehret, Jane Pierson, Michel Duran, Jean Mitry, Max Dalban. 75'.
Pages 38-39, *39*.

1932 • *Boudu sauvé des eaux*

A, S et *D* = Jean Renoir, d'après la pièce de René Fauchois. *I* = Marcel Lucien. *Dé* = Jean Castanier, Hugues Laurent. *M* = Marguerite Renoir, Suzanne de Troye. *P* = Société Sirius (Films Michel Simon), Jean Gehret.
Avec Michel Simon, Charles Granval, Marcelle Hainia, Séverine Lerczinska, Jean Dasté, Max Dalban, Jean Gehret, Jacques Becker. 87'.
Pages *35, 36, 38*, 39, *41*, 42.

1932 • *Chotard et Cie* [1933]

A = Jean Renoir, d'après la pièce de Roger Ferdinand. *Di* = Roger Ferdinand.
I = J.-L. Mundwiller. *Dé* = Jean Castanier.
M = Marguerite Renoir, Suzanne de Troye. *P* = Films Roger Ferdinand.
Avec Fernand Charpin, Jeanne Lory, Jeanne Boitel, Georges Pomiès, Max Dalban, Louis Seigner, André Dignimont, Fabien Loris, Jacques Becker. 83'.
Pages 42, *42*.

1933 • *Madame Bovary* [1934]

A, S et *Di* = Jean Renoir, d'après le roman de Gustave Flaubert. *I* = Jean Bachelet.
Dé = Robert Gys, Georges Wakhévitch.
M = Marguerite Renoir. *P* = La Nouvelle Société de films (Gaston Gallimard).
Avec Pierre Renoir, Alice Tissot, Valentine Tessier, Héléna Manson, Max Dearly, Daniel Lecourtois, Fernand Fabre, Pierre Larquey, Romain Bouquet, Robert Le Vigan, Georges Cahuzac. 120'.
Pages 42-43, *42, 43*.

1934 • *Toni* [1935]

S = Jean Renoir et Carl Einstein, d'après les faits recueillis par Jacques Mortier. *Di* = Carl Einstein, Jean Renoir. *I* = Claude Renoir Jr. *Dé* = Léon Bourrely. *M* = Marguerite Renoir, Suzanne de Troye. *P* = Films d'Aujourd'hui (Pierre Gaut).
Avec Charles Blavette, Jenny Hélia, Célia Montalvan, Max Dalban, Edouard Delmont, Andrex, André Kovachevitch. 100'.
Pages 44-45, *44, 45*, 70.

1935 • *Le Crime de Monsieur Lange* [1936]

S et *Di* = Jacques Prévert et Jean Renoir, d'après une idée de Jean Castanier. *I* = Jean Bachelet. *Dé* = Jean Castanier, Robert Gys, assistés de Roger Blin. *M* = Marguerite Renoir. *P* = Oberon (André Halley des Fontaines).
Avec Jules Berry, René Lefèvre, Florelle, Nadia Sibiskaïa, Sylvia Bataille, Henri Guisol, Marcel Levesque, Odette Talazac, Maurice Baquet, Jacques B. Brunius, Marcel Duhamel, Jean Dasté, Paul Grimault, Guy Decomble, Henri Saint-Isles, Fabien Loris, Claire Gérard, Janine Loris, Marcel Lupovici, Michel Duran, Dora Maar. 84'.
Pages 45-46, *46*, 47, *47*.

1936 • *La vie est à nous* [1969]

S = Jean Renoir, Pierre Unik, Jean-Paul Le Chanois, André Zwobada. *I* = Jean Serge Bourgoin, Jean Isnard, Alain Douarinou, Claude Renoir Jr. *M* = Marguerite Renoir, Jacques B. Brunius. *P* = Parti communiste français. 66'.
Pages 47-48, *47*, 56.

1936 • *Partie de campagne* [1946]

A, S et *Di* = Jean Renoir, d'après la nouvelle de Guy de Maupassant. *I* = Claude Renoir Jr. *Dé* = Robert Gys. *M* = Marguerite Renoir, Marinette Cadix, Marcel Cravenne. *P* = Films du Panthéon (Pierre Braunberger).
Avec Sylvia Bataille, Jane Marken, Gabriello, Georges Darnoux, Jacques B. Brunius, Gabrielle Fontan, Jean Renoir, Marguerite Renoir, Pierre Lestringuez, Jacques Becker, Alain Renoir. 40'.
Pages 49-50, *49, 50*, 70.

1936 • *Les Bas-Fonds*

S = Eugène Zamiatine et Jacques Companeez, d'après la pièce de Maxime Gorki. *A* et *Di* = Charles Spaak, Jean Renoir. *Dé* = Eugène Lourié, Hugues Laurent. M = Marguerite Renoir. *P* = Albatros (Alexandre Kamenka).
Avec Louis Jouvet, Jean Gabin, Suzy Prim,

Vladimir Sokoloff, Junie Astor, Robert Le Vigan, Gabriello, Maurice Baquet, Jany Holt. 89'.
Pages 50-52, *50*, *51*, *61*.

1936-1937 • *La Grande Illusion*

S et *Di* = Charles Spaak, Jean Renoir.
I = Christian Matras. *Dé* = Eugène Lourié.
M = Marguerite Renoir, Marthe Huguet.
P = Réalisation d'art cinématographique
(Frank Rollmer, Albert Pinkevitch).
Avec Erich von Stroheim, Jean Gabin, Pierre
Fresnay, Marcel Dalio, Julien Carette, Gaston
Modot, Jean Dasté, Jacques Becker, Sylvain
Itkine, Dita Parlo, Werner Florian, Karl Koch.
113'.
Pages 19, 52-53, *52*, *53*, *55*, *61*, 70, 73, 107, 111.

1937 • *La Marseillaise* [1938]

S = Jean Renoir, Karl Koch, Noémi Martel-Dreyfus.
Di = Jean Renoir. *I* = Jean-Serge Bourgoin,
Alain Douarinou, Jean-Marie Maillols.
Dé = Léon Barsacq, Georges Wakhévitch.
M = Marguerite Renoir. *P* = CGT puis Société
de production et d'exploitation du film La
Marseillaise.
Avec Pierre Renoir, Lise Delamare, William
Aguet, Elisa Ruis, Louis Jouvet, Jean
Aquistapace, Jacques-Catelain, Aimé Clariond,
Maurice Escande, Irène Joachim, Jacques
Castelot, Andrex, Charles Blavette, Paul Dullac,
Nadia Sibirskaïa, Jenny Hélia, Gaston Modot et
Julien Carette. 135'.
Pages 56-57, *56*, *57*, 58.

1938 • *La Bête humaine*

A et *S* = Jean Renoir, d'après le roman d'Emile
Zola. *Di* = Jean Renoir, Denise Leblond-Zola.
I = Curt Courant. *Dé* = Eugène Lourié. *M* =
Marguerite Renoir, Suzanne de Troye. *P* = Paris
Film Production (Roland Tual, Robert Hakim).
Avec Jean Gabin, Simone Simon, Fernand
Ledoux, Julien Carette, Colette Régis, Jenny
Hélia, Gérard Landry, Jacques Berlioz, Jean
Renoir, Emile Genevois et Jacques B. Brunius,
Marcel Pérès, Blanchette Brunoy, Claire Gérard,
Tony Corteggiani. 100'.
Pages 58-60, *58*, *59*, *61*, *62*, 77.

1939 • *La Règle du jeu* [1965]

S et *Di* = Jean Renoir, Karl Koch. *I* = Jean
Bachelet. *Dé* = Eugène Lourié, Max Douy.
M = Marguerite Renoir, Marthe Huguet.
P = Nouvelle Edition française (Claude Renoir
Sr, Camille François).
Avec Marcel Dalio, Nora Gregor, Roland

Toutain, Jean Renoir, Mila Parély, Odette
Talazac, Pierre Magnier, Pierre Nay, Claire
Gérard, Tony Corteggiani, Paulette Dubost,
Gaston Modot, Julien Carette, Eddy Debray,
Léon Larive, Jenny Hélia, Lise Elina, André
Zwobada, Camille François, Henry Cartier-
Bresson. 112'.
Pages 21, 62-65, *62*, *63*, *64*, *65*, *67*, *70*, 84.

1941 • *Swamp Water / L'Etang tragique* [1943-1946]

S = Dudley Nichols, d'après un récit de Vereen
Bell. *Di* = Irving Pichell. *I* = Peverell Marley,
Lucien Ballard. *Dé* = Thomas Little. *M* = Walter
Thompson. *P* = 20th Century Fox (Irving Pichell).
Avec Dana Andrews, Walter Huston, John
Carradine, Ann Baxter, Virginia Gilmore, Walter
Brennan, Eugène Palette, Matt Williams. 86'.
Pages 74-76, *74*, *75*.

1943 • *This Land is Mine / Vivre libre* [1943, 1946]

S = Dudley Nichols, Jean Renoir. *Di* = Dudley
Nichols. *I* = Frank Redman. *Dé* = Eugène
Lourié. *M* = Frederic Knudtsen. *P* = RKO.
Avec Charles Laughton, Kent Smith, Maureen
O'Hara, George Sanders, Walter Slezack. 103'.
Pages 69, 78-79, *78*.

1944 • *Salute to France / Salut à la France*

Coréalisation = Garson Kanin. *S* = Philipe Dunne,
Jean Renoir, Burgess Meredith. *I* = Army Pictorial
Service. *M* = Marcel Cohen, Mario Reyto, Jean
Oser. *P* = Office of War Information.
Avec Burgess Meredith, Garson Kanin, Claude
Dauphin. 34'.
Page 81.

1944 • *The Southerner / L'Homme du Sud* [1945-1950]

A = Hugo Butler, d'après le roman de George
Sessions Perry *Hold Autumn in Your Hand*.
S et *Di* = Jean Renoir. *I* = Lucien Andriot. *Dé* =
Eugène Lourié. *M* = Gregg Talas. *P* = Producing
Artists Inc. (David L. Loew, Robert Hakim).
Avec Zachary Scott, Betty Field, Jay Gilpin, Jean
Vanderbilt, Beulah Bondi, J. Carroll Naish,
Blanche Yurka, Charles Kemper, Norman Lloyd,
Estelle Taylor. 92'.
Pages 79-80, *79*.

1945 • *The Diary of a Chambermaid / Le Journal d'une femme de chambre* [1946, 1948]

A, *S* et *Di* = Jean Renoir et Burgess Meredith,
d'après la pièce d'André Heuzé, André de Lorde

et Thielly Nores tirée du roman d'Octave
Mirbeau. *I* = Lucien Andriot. *Dé* = Eugène Lourié.
M = James Smith. *P* = Camden Production Inc.
(Benedict Bogeaus, Burgess Meredith).
Avec Paulette Goddard, Burgess Meredith, Hurd
Hatfield, Reginald Owen, Judith Anderson,
Francis Lederer, Florence Bates. 91'.
Pages *80*, 81-83, *81*, 82.

1946 • *The Woman on the Beach/*
La Femme sur la plage [1947, 1948]

A, *S* et *Di* = Jean Renoir, Franck Davis et J. R.
Michael Hogan, d'après le roman de Mitchell
Wilson *None so Blind*. *I* = Harry Wild, Leo Tover.
Dé = Albert S. d'Agostino, Walter E. Keller. *M* =
Roland Gross, Lyle Boyer. *P* = RKO (Jack Gross).
Avec Joan Bennett, Charles Bickford, Robert
Ryan, Nan Leslie, Walter Sande. 71'.
Pages *82*, 83, *83, 84*, 85, *85*.

1949-1950 • *The River/Le Fleuve* [1951]

A, *S* et *Di* = Rumer Godden et Jean Renoir,
d'après le roman de Rumer Godden. *I* = Claude
Renoir Jr (Technicolor). *Dé* = Eugène Lourié,
Bansi Chandra Gupta. *M* = George Gale.
P = Oriental-International Films Inc. (Kenneth
McEldowney).
Avec Nora Swinburne, Esmond Knight, Arthur
Shields, Thomas E. Breen, Rahda Sri Ram,
Suprova Mukerjee, Patricia Walters, Adrienne
Corri, Richard Foster, Penelope Wilkinson, Jane
Harris. 99'.
Pages 89-90, *89, 90*.

1952 • *Le Carrosse d'or/The Golden Coach/*
La carrozza d'oro [1953]

A, *S* et *Di* = Jean Renoir, Renzo Avanzo, Giulio
Macchi, Jack Kirland, Ginette Doynel, d'après la
pièce de Prosper Mérimée *Le Carrosse du Saint-
Sacrement*. *I* = Claude Renoir Jr (Technicolor).
Dé = Mario Chiari. *M* = David Hawkins.
P = Panaria Films (Francesco Alliata) –
Delphinus/Hoche Productions.
Avec Anna Magnani, Duncan Lamont, Odoardo
Spadaro, Riccardo Rioli, Paul Campbell, Nada
Fiorelli, George Higgins, Jean Deboucourt. 104'.
Pages 91-92, *92*.

1954 • *French Cancan* [1955]

S = Jean Renoir, d'après une idée d'André-Paul
Antoine. *A* et *Di* = Jean Renoir. *I* = Michel
Kelber (Technicolor). *Dé* = Max Douy. *M* = Boris
Lewin. *P* = Franco-London Films – Joly Films.
Avec Jean Gabin, Maria Felix, Françoise Arnoul,
Jean-Roger Caussimon, Gianni Esposito,

Philippe Clay, Michel Piccoli, Jean Parédès,
Albert Rémy, Lydia Jonhson, Max Dalban,
Jacques Jouanneau, Jean-Marc Tennberg,
Valentine Tessier, Hubert Deschamps, Dora
Doll, Léo Campion, Jacques Catelain, Laurence
Bataille, Pierre Olaf, Gaston Modot, Patachou,
Edith Piaf. 97'.
Pages *61*, 62, *89*, 94, *94*, *101*, *103*, 108.

1956 • *Eléna et les hommes*

S et *Di* = Jean Renoir. *A* = Jean Serge, Jean Renoir.
I = Claude Renoir Jr (Technicolor). *Dé* = Jean
André. *M* = Boris Lewin. *P* = Franco-London
Films (Henry Deutchsmeister), les Films Gibé,
Electra Compañía Cinematográfica.
Avec Ingrid Bergman, Jean Marais, Mel Ferrer,
Jean Richard, Magali Noël, Juliette Gréco, Pierre
Bertin, Jean Claudio, Jean Castanier, Elina
Labourdette, Dora Doll, Jacques Jouanneau,
Gaston Modot. 98'.
Pages *87*, 97-98, *97*, *98*, *99*, *101*.

1959 • *Le Testament du Dr Cordelier* [1961]

A, *S* et *Di* = Jean Renoir, d'après le roman de
Robert Louis Stevenson *Docteur Jekyll et Mister
Hyde*. *I* = Georges Leclerc. *Dé* = Marcel-Louis
Dieulot. *M* = Renée Lichtig. *P* = Radio Télévision
française, Sofirad, Compagnie Jean Renoir.
Avec Jean-Louis Barrault, Teddy Bilis, Michel
Vitold, Jean Topart, Micheline Gary, André
Certes, Jacques Dannoville, Jean-Pierre Granval,
Gaston Modot, Jacqueline Morane, Ghislaine
Dumont, Madeleine Marion. 95'.
Pages 104, *104*, 105, *105*.

1959 • *Le Déjeuner sur l'herbe*

S et *Di* = Jean Renoir. *I* = Georges Leclerc
(Eastmancolor). *Dé* = Marcel-Louis Dieulot.
M = Renée Lichtig. *P* = Compagnie Jean Renoir
(Ginette Doynel).
Avec Paul Meurisse, Catherine Rouvel, Fernand
Sardou, Jacqueline Morane, Jean-Pierre Granval,
Robert Chandeau, Micheline Gary, Frédéric
O'Brady, André Brunot, Hélène Duc, Jacques
Dannoville, Paulette Dubost. 92'.
Pages 17, 104-105, *105*.

1961-1962 • *Le Caporal épinglé*

A et *S* = Jean Renoir et Guy Lefranc, d'après le
roman de Jacques Perret. *Di* = Jean Renoir.
I = Georges Leclerc. *Dé* = Eugène Herrly.
M = Renée Lichtig. *P* = Films du Cyclope
(G. W. Beyer).
Avec Jean-Pierre Cassel, Claude Brasseur,
Claude Rich, O. E. Hasse, Jean Carmet, Jacques

Jouanneau, Mario David, Raymond Jourdan, Guy Bedos, Gérard Darrieu. 105'.
Pages 106-107, *107*.

1969 • *Le Petit Théâtre de Jean Renoir* [1970]
S, A et Di = Jean Renoir. I = Georges Leclerc (Eastmancolor). Dé = Gilbert Margerie.
M = Geneviève Winding. P = Son et Lumière. RAI, Bavaria, ORTF.
Avec Nino Formicola, Milly Monti (*Le Dernier Réveillon*); Marguerite Cassan, Pierre Olaf, Jacques Dynam (*La Cireuse électrique*); Jeanne Moreau (*Quand l'amour meurt*); Fernand Sardou, Françoise Arnoul, Jean Carmet, Dominique Labourier (*Le Roi d'Yvetot*).100'.
Pages *107*, 108, 110, *110*.

Les musiques de Joseph Kosma

Joseph Kosma a été le principal collaborateur musical de Jean Renoir : partitions originales de *La Grande Illusion*, *La Bête humaine*, *Partie de campagne*, *Eléna et les hommes*, *Le Testament du docteur Cordelier*, *le Déjeuner sur l'herbe*, *Le Caporal épinglé* et *La Cireuse électrique*; arrangements de *La Marseillaise* et de *La Règle du jeu*; chanson du *Crime de Monsieur Lange*. On doit la musique du *Crime de Monsieur Lange*, *Les Bas-Fonds*, *Le Dernier Réveillon et Le Roi d'Yvetot* à Jean Wiener; celle de *French Cancan* et les arrangements d'*Eléna et les hommes* à Georges Van Parys; celles de *Madame Bovary* à Darius Milhaud, de *Salute to France* à Kurt Weill, de *The Woman on the Beach* à Hans Eisler.

Joseph de Bretagne : l'authenticité sonore

L'ingénieur du son Joseph de Bretagne (*On purge bébé*, *La Chienne*, *La Nuit du carrefour*, *Madame Bovary*, *Partie de campagne*, *La Grande Illusion*, *La Marseillaise*, *La Règle du jeu*, *Le Carrosse d'or*, *Le Déjeuner sur l'herbe*) a été un autre précieux collaborateur : « Il me communiqua sa religion de l'authenticité sonore. Avec lui, j'ai vraiment utilisé le minimum de son truqué [...]. Je préfère un son mauvais techniquement, mais enregistré en même temps que l'image, à un son parfait, mais rajouté » (*Ma vie et mes films*, pp. 97 et 141).

Renoir aux multiples facettes

Jean Renoir a écrit avec Pierre Lestringuez le scénario et l'adaptation de *Catherine ou une vie sans joie* (82'), réalisé par Albert Dieudonné en 1924 et sorti en 1927.
Il a tourné à Rome en 1940 les premiers plans de *La Tosca*, qu'il avait adapté de Victorien

Sardou avec Karl Koch, qui termina le film. Il a également commencé en 1942 à Hollywood *The Amazing Mrs Holliday*, achevé par Bruce Manning.
Il a été acteur, dans des films autres que les siens, aux côtés de Catherine Hessling, dans *La P'tite Lili* (14', 1927) et *Le Petit Chaperon rouge* (60', 1929) d'Alberto Cavalcanti, ainsi que dans *Die Jagd nach dem Gluck* (*La Chasse à la fortune*) de Rochus Gliese en 1930. Et il a été lui-même dans *The Christian Licorice Store* de James Frawley en 1969.
Il a écrit et dit en 1937 le commentaire français de *Terre d'Espagne* (*Spanish Earth*, 55'), de Joris Ivens, le commentaire anglais l'ayant été par Ernest Hemingway.

THÉÂTRE

Jean Renoir a mis en scène *Jules César* de William Shakespeare aux Arènes d'Arles (unique représentation, le 10 juillet 1954), ainsi que *Le Grand Couteau* de Clifford Odets, qu'il avait lui-même adaptée, au théâtre des Bouffes-Parisiens fin 1957.
Orvet, sa première pièce, a été créée début 1955 au théâtre de la Renaissance dans sa propre mise en scène, avec Leslie Caron, Paul Meurisse, Michel Herbault, Catherine Le Couey, Raymond Bussières, Marguerite Cassan, Jacques Jouanneau, Pierre Olaf. *Carola*, sa seconde pièce, inédite en France, a été créée à Berkeley en 1960 puis à la télévision américaine en 1973 dans une mise en scène de Norman Lloyd, avec Leslie Caron et Mel Ferrer.

BIBLIOGRAPHIE

Œuvres de Jean Renoir

– *Orvet*, Gallimard, coll. « Le Manteau d'Arlequin », Paris, 1955 et 1993.
– *Renoir par Jean Renoir*, Hachette, Paris, 1962 ; Gallimard, coll. « Folio », Paris, 1981, 1999, sous le titre *Pierre-Auguste Renoir, mon père*.
– *Les Cahiers du capitaine Georges*, Gallimard, Paris, 1966 ; coll. « Folio », 1994.
– *Ma vie et mes films*, Flammarion, Paris, 1974 ; Flammarion, coll. « Champs Contre-Champs », Paris, 1987.
– *Ecrits 1926-1971*, Belfond, Paris, 1974 ; Ramsay, coll. « Ramsay Poche Cinéma », Paris, 1989.
– « Carola », *L'Avant-Scène Théâtre* n° 597, 1er novembre, Paris, 1976.
– *Le Cœur à l'aise*, Flammarion, Paris, 1978.

– *Julienne et son amour*, scénario non tourné, Henri Veyrier, Paris, 1978.
– *Le Crime de l'Anglais*, Flammarion, Paris, 1979.
– *Entretiens et propos*, Cahiers du Cinéma / Editions de l'Etoile, Paris, 1979 ; Ramsay, coll. « Ramsay Poche Cinéma », Paris, 1986.
– *Geneviève*, Flammarion, Paris, 1980.
– *Œuvres de cinéma inédites*, Gallimard et Cahiers du Cinéma, Paris, 1981.
– *Lettres d'Amérique*, Presses de la Renaissance, Paris, 1984.
– *Le Passé vivant*, Cahiers du Cinéma / Editions de l'Etoile, Paris, 1989.
– *Correspondance, 1913-1978*, Plon, Paris, 1998.
– *Faire des films*, Séguier, Paris, 1999.

Sur Jean Renoir et son œuvre
L'œuvre cinématographique de Jean Renoir a été abondamment commentée en langue française comme en langue anglaise.

Ouvrages en français
– Bazin, André, et Truffaut, François, *Jean Renoir*, Champ Libre, Paris, 1971 ; Ivréa, Paris, 1989.
– Bertin, Célia, *Jean Renoir*, Editions du Rocher, Paris, 1994, 2005.
– Beylie, Claude, et Bessy, Maurice, *Jean Renoir*, Pygmalion, Paris, 1989.
– Beylie, Claude, *Jean Renoir, le spectacle et la vie*, Seghers, Paris, 1975 ; « Jean Renoir », *L'Avant-Scène Cinéma*, Paris, 1980.
– Cauliez, Armand J., *Jean Renoir*, Editions universitaires, Paris, 1962.
– Chardère, Bernard, *Jean Renoir*, Editions Serdoc, coll. « Premier Plan », Lyon, 1962.
– Curchod, Olivier, *La Grande Illusion*, Nathan, Paris, 1994 ; *Partie de campagne*, Nathan, Paris, 1995.
– Davay, Paul, *Jean Renoir*, Club du livre de cinéma, Bruxelles, 1957.
– Deleuze, Gilles, *Effet cinéma II*, Editions de Minuit, Paris, 1984.
– Gauteur, Claude, *Jean Renoir, la double méprise*, Editeurs français réunis, Paris, 1980 ;

La Marseillaise de Jean Renoir, Editions de la FEMIS, 1989.
– Haffner, Pierre, *Jean Renoir*, Rivages, 1987.
– IDHEC/FEMIS, ouvrage collectif, *Analyse des films de Jean Renoir*, 1966.
– Leprohon, Pierre, *Jean Renoir*, Seghers, Paris, 1967.
– Poulle, François, *Renoir 1938*, Editions du Cerf, Paris, 1969.
– *Renoir / Renoir*, catalogue de l'exposition, La Cinémathèque française / Editions de La Martinière, 2005.
– Serceau, Daniel, *Jean Renoir l'insurgé*, Le Sycomore, Paris, 1981 ; *Jean Renoir, la sagesse du plaisir*, Editions du Cerf, Paris, 1985 ; *Jean Renoir*, Edilig, Paris, 1985.
– Viry-Babel, Roger, *Dossier Jean Renoir*, Presses universitaires de Nancy, 1972 ; *Jean Renoir, le jeu et la règle*, Denoël, Paris, 1986 ; Ramsay, coll. « Ramsay Poche Cinéma », Paris, 1994.

Ouvrages en anglais
– Bergan, Ronald, *Jean Renoir*, Bloomsberry, 1992.
– Braudy, Leo, *Jean Renoir, the World of his Films*, Doubleday, Garden City, 1972 ; Robson Books, 1977.
– Durgnat, Raymond, *Jean Renoir*, University of California Press, Berkeley, 1974.
– Faulkner, Christopher, *The Social Cinema of Jean Renoir*, Princeton University, 1986 ; *Jean Renoir. a Guide to References and Resources*, G. K. Hall and Co., Boston, 1979.
– Gilcher, William Harry, *Jean Renoir in America : a Critical Analysis of his Major-Films*, University of Iowa, 1979.
– Gilliat, Penelope, *Jean Renoir, Essays, Conversations*. Reviews, McGraw-Hill, New York, 1975.
– Mast, Gérald, *Film Guide to the Rules of the Games*, Indiana University Press, 1973.
– Sesonske, Alexander, *Jean Renoir, the French Films, 1924-1939*, Harvard University Press, Boston, 1980.

tournage de *La Règle du jeu*, scène de la chasse.

CHAPITRE 1

12 Pierre-Auguste Renoir, *Gabrielle et Jean*, 1895. Musée d'Orsay, Paris.
13 Renoir tourne au Sahara *Le Bled*, 1928.
14h Gabrielle dans l'atelier de Cagnes, vers 1911.
14b Pierre-Auguste Renoir dans l'atelier de Cagnes, vers 1911.
15 Le cabaret du *Lapin agile* et la rue Saint-Vincent, à Montmartre, vers 1900.
16h Pierre-Auguste Renoir, *Portrait d'Aline Renoir*, 1885. Philadelphia Museum of Art.
16b La ferme des Collettes, Cagnes-sur-Mer, vers 1911.
17h Pierre Auguste Renoir, *Les Collettes*, 1915. Musée des Collettes, Cagnes-sur-Mer.
17b Jean Renoir et son frère Coco, Le Cannet, 1902.
18g Projection au cinéma Palace, Paris, 1909.
18d Pearl White en 1915.
19m Jean Renoir et Dédée dans leur première voiture, vers 1912.
19b Renoir mobilisé pendant la Première Guerre mondiale.
20b Pierre-Auguste Renoir et Dédée dans l'atelier de Cagnes, vers 1912.
20m Charlie Chaplin en tournage, vers 1925.
21h Theda Bara dans

Cléopâtre de Gordon Edwards. 1917.
21b Mary Pickford, vers 1915.
22h *Folies de femmes* (*Foolish wives*) d'Erich von Stroheim, 1921.
22b Dessin figurant D. W. Griffith, vers 1915.
22-23 Catherine Hessling et Albert Dieudonné dans *Catherine ou une vie sans joie* d'Albert Dieudonné, 1924.
23 Ivan Mosjoukine dans *Le Brasier ardent* réalisé par lui-même, 1923.
24-25 Renoir et Pierre Lestringuez sur le tournage de *La Fille de l'eau* de Jean Renoir, 1924.
25 Catherine Hessling et Jean Tedesco dans *La Fille de l'eau*, 1924.
26 Pierre-Auguste Renoir, *Le Déjeuner des canotiers*, 1881. The Phillips Collection, Washington.
27h Catherine Hessling dans *Nana* de Jean Renoir, 1926.
27b Dessin de Claude Autant-Lara pour la robe portée par Catherine Hessling dans *Nana*, pour la scène de course, daté 1925.
28 Pierre Champagne et Catherine Hessling dans *Nana*.
29g Catherine Hessling dans *Nana*.
29d Catherine Hessling en 1925.
30 Catherine Hessling dans *Charleston* de Jean Renoir, 1927.
30-31 Catherine Hessling dans *La Petite Marchande d'allumettes* de Jean Renoir, 1928.

31 Jean Renoir dans *Le Petit Chaperon rouge* d'Alberto Cavalcanti, 1929.
32h Affiche pour *Le Tournoi* de Jean Renoir, signée H. Giscard, 1929.
32b Marie-Louise Iribe et Jean Angelo dans *Marquitta* de Jean Renoir, 1928.
33 Marguerite Pierry et Jacques Louvigny dans *On purge bébé* de Jean Renoir, 1931.

CHAPITRE 2

34 Jean Renoir dirige Simone Simon sur le tournage de *La Bête humaine*, 1938.
35 Michel Simon sur le pont des Arts dans *Boudu sauvé des eaux* de Jean Renoir, 1932 ; scène du suicide.
36 *La Chienne*, couverture des éditions Tallandier, 1931.
36-37 Michel Simon et Janie Marèze dans *La Chienne* de Jean Renoir, 1931.
37 Janie Marèze, dans *La Chienne*.
38 Michel Simon et Séverine Lerczinska dans *Boudu sauvé des eaux*.
38-39 *La Nuit du carrefour* de Jean Renoir, 1932, scène du commissariat ; debout, de face, Pierre Renoir.
39 Affiche de *La Nuit du carrefour*, signée J. Bertrand, 1932.
40 Michel Simon dans *Tire-au-flanc* de Jean Renoir, 1928.
41g et **d** Michel Simon dans *Boudu sauvé des eaux*.
42 Charpin dans *Chotard et Cie* de Jean

Renoir, 1933.
42-43 Tournage à Lyons-la-Forêt de *Madame Bovary* de Jean Renoir, 1934.
43 André Fouché et Valentine Tessier dans *Madame Bovary*.
44 Couverture du dossier de presse de *Toni* de Jean Renoir, 1934.
44-45 Celia Montalvan, Edouard Delmont et Jenny Hélia dans *Toni*.
45 Boulevard de la Madeleine après l'émeute du 6 février 1934.
46 Représentation de *Vive la presse !* par le groupe Octobre, 1932.
46-47 *Le Crime de M. Lange* de Jean Renoir, 1935 ; de gauche à droite, au premier plan, Janine Loris, Germaine Duhamel, M. Braque ; au second plan, Suzanne Magisson, Margot Capelier.
47 Jean Renoir dans *La vie est à nous*.
48m La victoire du Front Populaire célébrée à Marseille en 1936.
48b Maurice Thorez, Jacques Duclos et Jean Renoir.
49h Jane Marken et Jacques Borel dans *Une partie de campagne* de Jean Renoir, 1936.
49b Pierre-Auguste Renoir, *La Promenade*, 1870. Paul Getty Museum, Malibu, Californie.
50 Paul Temps, Gabriello et Sylvia Bataille dans *Une partie de campagne*.
50-51 Jean Gabin et Louis Jouvet dans *Les*

dans *Eléna et les hommes*, 1956.
96h Jean Renoir en répétitions aux arènes d'Arles pour sa mise en scène de *Jules César* de Shakespeare, 1954.
96b Jean Renoir et Leslie Caron lors des répétitions d'*Orvet*, pièce écrite et mise en scène par Jean Renoir.
96-97 Jean Renoir, Ingrid Bergman et Mel Ferrer lors de la première d'*Eléna et les hommes*, 1956.
98 Lobby card pour *Eléna et les hommes*.
99 Jean Renoir et Ludmilla Tcherina lors des répétitions du ballet *Le Feu aux poudres*, 1959.
100h Mel Ferrer et Juliette Gréco dans *Eléna et les hommes*.
101h Mel Ferrer dans *Eléna et les hommes*.
100-101 Scène de rue dans *Eléna et les hommes*.
102-103 *French Cancan*, scène du cancan ; au centre Françoise Arnoul.
104g Jean-louis Barrault dans *Le Testament du docteur Cordelier* de Jean Renoir, 1959.
104d Affiche du *Testament du docteur Cordelier*.
105h Paul Meurisse et Catherine Rouvel dans *Le Déjeuner sur l'herbe* de Jean Renoir, 1959.
105b Affiche du *Déjeuner sur l'herbe*, signée Brenot.

106 Jean Renoir et Dido Freire dans les années 60.
106-107 Claude Brasseur, Claude Rich, Mario David, Jean Carmet et Jean-Pierre Cassel dans *Le Caporal épinglé* de Jean Renoir, 1961.
108-109 Jean Renoir présente une maquette utilisée pour *Le Petit Théâtre de Jean Renoir*, 1971.
110 Jeanne Moreau chantant *Quand l'amour meurt* dans le sketch du même nom du *Petit Théâtre de Jean Renoir*.
111 Dido Freire et Jean Renoir dans leur maison de Beverly Hills, années 60.
112 Jean Renoir dans les années 60.

TÉMOIGNAGES ET DOCUMENTS

113 Jean Renoir sur le tournage d'*Eléna et les hommes*.
114 Jean Renoir sur le tournage de *French Cancan*.
115 Pierre-Auguste Renoir dans le jardin des Collettes, vers 1912.
117 Jean Renoir mobilisé durant la Première Guerre mondiale.
119 Jean Renoir sur le tournage de *Nana*.
121 Jean Renoir sur le tournage d'un de ses films américains ; accroupie à son côté, Dido Freire, sa script-girl.
126 L'écrivain Georges Simenon dans les années 1930.
129 Jean Renoir et Pierre Braunberger.

INDEX

CRÉDITS PHOTOGRAPHIQUES

AFP, Paris 91, 96b. Archives Durand-Ruel, Paris 14h, 14b, 16b, 17b, 19m, 20b, 115. Archives Gallimard, Paris 70, 76-77. Archive Photos France, Paris 96-97, 99. Archives Renoir 65, 93b, 111. Bibliothèque nationale de France, Paris 23, 66. Musée d'Histoire contemporaine / BDIC, Paris 78h. Cahiers du cinéma, Paris 1, 2-3, 6-7, 21h, 22b, 22-23, 25, 27h, 27b, 28, 41d, 43, 50, 56hg, 58h, 60h, 62, 74-75, 79, 80, 81, 82, 83, 88-89, 96h, 114, 129. Cat's, Paris 11, 40, 54b, 56hd, 58b, 63b, 64, 64-65, 66-67, 73m, 84-85, 94b, 95b, 100h, 100-101, 101, 105b. Christophe L., Paris, 1er plat bas, 31, 42, 54h, 57, 61b, 90, 94m, 105h, 106-107, 108-109, 110. Ciné Plus, Paris 21b, 22h, 29d, 30, 35, 39, 44, 51, 53, 63h, 71, 73b, 75, 84, 92, 98, 104d. Coll. Claude Gauteur, Paris 8-9, 13, 19b, 24-25, 29g, 30-31, 32h, 34, 36, 36-37, 38, 38-39, 41g, 44-45, 47, 50-51, 52-53, 60b, 61h, 68, 69, 70-71, 72b, 78b, 86, 87, 93m, 104g, 106, 112, 118, 121. Coll. Heinrich, Paris 46, 46-47. Coll. part. 20m, 55. Coll. Sabria, Paris 33, 37, 49h, 52, 102-103. D.R. dos, 113, 115, 117, 119. John Koball Collection, Londres 82h. Keystone, Paris 45, 48m, 72m. Magnum, Paris 113. Musée des Collettes, Cagnes-sur-Mer 17h. Paul Getty Museum, Malibu, Californie 49b. Philadelphia Museum of Art 16h. RMN, Paris 12, 95h. Roger Corbeau, Paris 4-5. Roger-Viollet, Paris 15, 18bg, 18bd, 42-43, 48b, 56-57, 88, 126. The Phillips Collection, Washington 26. Virginia Museum of Fine Arts, 2e plat. Photo Sam Lévin © Ministère de la Culture / France, 1er plat haut, 11, 34, 53, 54h, 54b, 55, 56g, 56d, 56-57, 58h, 58b, 59, 60h, 60b, 64, 64-65.

REMERCIEMENTS

L'éditeur remercie Claude Gauteur pour sa collaboration ainsi que Serge Toubiana, Matthieu Orléan, et Pauline de Raymond à la Cinémathèque française. L'auteur adresse ses plus chaleureux remerciements à Cécile Dutheil de la Rochère et à Nathalie Palma.

ÉDITION ET FABRICATION

DÉCOUVERTES GALLIMARD
COLLECTION CONÇUE PAR Pierre Marchand. DIRECTION Elisabeth de Farcy. COORDINATION ÉDITORIALE Anne Lemaire. GRAPHISME Alain Gouessant. COORDINATION ICONOGRAPHIQUE Isabelle de Latour. SUIVI DE PRODUCTION Fabienne Brifault. SUIVI DE PARTENARIAT Madeleine Giai-Levra. RESPONSABLE COMMUNICATION ET PRESSE Valérie Tolstoï. PRESSE Flora Joly et Alain Deroudilhe.

JEAN RENOIR, CINÉASTE
EDITION Cécile Dutheil de la Rochère, Nathalie Palma et Bertrand Mirande-Iriberry. MAQUETTE Catherine Le Troquier et Dominique Guillaumin. ICONOGRAPHIE Philippe Nédellec. LECTURE-CORRECTION Catherine Lévine et Annabelle Viret.

Ecrivain, Célia Bertin a publié son premier roman *La Parade des impies* (Grasset) en 1946, à l'âge de 25 ans. En 1953, le prix Renaudot couronne son troisième livre, *La Dernière Innocence* (Corrêa). Elle consacrera aux femmes des études remarquées : *La Femme à Vienne au temps de Freud* (Stock, 1989), *Marie-Bonaparte* (Perrin, 1982), *Femmes sous l'occupation* (Stock, 1993), *Louise Weiss* (Albin Michel, 1999). Elle est également l'auteur d'un *Jean Renoir* (rééd. Editions du Rocher, 1994). Cette première biographie du cinéaste est désormais un ouvrage de référence.

*1er dépôt légal : mai 1994
Dépôt légal : août 2005
Numéro d'édition : 139444
ISBN : 2-07-031998-9
Imprimé en France par Kapp*